ВЫСОКИЙ СТИЛЬ

ИРИНА
МУРАВЬЁВА

СОБЛАЗНИТЕЛЬ

ЭКСМО
МОСКВА
2014

УДК 82-3
ББК 84(2Рос-Рус)6-4
М 91

Художественное оформление серии
и рисунок на переплете *Виталия Еклериса*

Муравьёва И.

М 91   Соблазнитель / Ирина Муравьёва. — М. : Эксмо,
2014. — 288 с. — (Высокий стиль. Проза И. Муравьёвой).

ISBN 978-5-699-70803-1

В бунинском рассказе «Легкое дыхание» пятнадцатилетняя
гимназистка Оля Мещерская говорит начальнице гимназии: «Простите, madame, вы ошибаетесь. Я — женщина. И виноват в этом
знаете кто?» Вера, героиня романа «Соблазнитель», никого не об-
виняет. Никто не виноват в том, что первая любовь обрушилась
на нее не романтическими мечтами и не невинными поцелуями с
одноклассником, но постоянной опасностью разоблачения, позора
и страстью такой сокрушительной силы, что вряд ли она может
похвастаться той главной приметой женской красоты, которой хва-
стается Оля Мещерская. А именно — «легким дыханием».

УДК 82-3
ББК 84(2Рос-Рус)6-4

ISBN 978-5-699-70803-1

КНИГА ПЕРВАЯ

ГЛАВА I

Дочке было семь лет, она уже месяц ходила в ту самую школу, где Вера была восьмиклассницей, а сам он работал учителем. И жена его, женщина молодая, с холодным и одновременно затравленным лицом, каждый день приходила забирать свою дочку после уроков и ждала в вестибюле, ни с кем не разговаривая, не вступая ни в какие обсуждения, а просто сидела, отстраненная, надменная и несчастная, как будто бы знала, что ей суждено всю жизнь глотать горькие слезы стыда. А раньше, до осени этой, была и веселой и нежной, любила смеяться, а тут вдруг — как заледенела.

Первого сентября они вместе с мужем привели в школу свою румяную, в огромных бантах, девочку, а шестого сентября муж признался ей в таком, что у нее остановилось дыхание. Вокруг была жизнь, и ходили, скользя по мокрой листве, загорелые люди, кричали и пели, и пахло арбузом, последние астры цвели на газонах, но все это было как будто не с ними, как будто они уже и не имели с простой этой жизнью своей прежней связи.

Так в чем он признался? Постойте, не сразу. Конечно, на свете случается разное. И мало ли всяких страннейших признаний, и мало ли боли от этих признаний? Жена его, носящая чудесное имя Елена, за девять лет брака привыкла ко многому. Вернее сказать: он ее приучил. Он предупредил, что ей с ним будет трудно. Она не поверила, но согласилась. Пусть трудно, но только бы с ним. Она подбирала за ним его мысли, привычки и шутки, и все сохранялось внутри ее сердца, и там, в ее сердце, за все эти годы так много всего набралось, просто страшно. Коллекция целая, остров сокровищ. Она относилась к нему не как к мужу, законному спутнику и компаньону, а как к господину — слуга, как рабыня, хотя до него и до этого брака в ней не было даже следов униженья, тем более рабства. Откуда же рабство, когда она дочка отца-генерала, любимая дочка? Отец, правда, умер, но мать-то жива. А тут ее словно бы заколдовали. Ну, парень как парень, глаза голубые. И взгляд очень пристальный, в самую душу. Увидела и обмерла, заболела. Люблю, не могу без тебя, не могу. Хоть режь на кусочки, хоть жги на костре. Не хочешь жениться, я так могу жить. Но он почему-то женился, как будто и сам тосковал без семьи.

Когда после свадьбы он переехал к ним на Тверскую в прекрасную большую квартиру, где мать-генеральша только что сделала ремонт и поменяла мебель, так что теперь даже в кухне стояли обтянутые золотистой парчой стульчики, а полог у материнской кровати был просто музейным, и днем этот полог, присобранный в пухлые складки, с трудом продевали в кольцо ярче золота, — когда он переехал из своего костлявого и облупленного Нагатина в эти ослепительные покои, и матери-генеральше, и самой Елене сразу стало ясно, что ему не только наплевать на все это, но даже немного мешает. Он как-то сказал, что любовь их с Еленой зачахнет внутри золотистого плюша, поскольку любви нужен лес и дорога, а если уж золото, то натуральное: к примеру, пшеница, шумящая в поле.

Но и мать, поначалу высоко вскидывающая брови при виде его не снятых после дождя и уличной грязи башмаков, и робкая до удивления Елена, с лицом то испуганным, то восхищенным, молчали. Он часто просил ее:

— Дай мне, Елена, побыть одному. Я подумать хочу.

Она не мешала. Она подчинялась, как будто ее воспитали не в школе, не в детском саду, не в советской семье, а где-нибудь в монастыре, на отшибе, на севере Франции средневековой, откуда она вышла кроткой, но сильной, не знающей жизни и одновременно готовой к любым испытаньям судьбы.

— О чем он там думает, детка? Не знаешь? — шептала ей мать.

— Нет. Откуда я знаю?

— Одни выкрутасы, — шипела ей мать. — Наплачемся мы. Вот увидишь, наплачемся.

Его «выкрутасы» она тоже знала. Они заполняли их ночь, и Елена стремилась к тому, чтобы он был доволен ее этим белым податливым телом, и не пресыщался ее восхищеньем, и не уставал от ее поцелуев. Она уже знала, что делать, как делать, она исполняла любые желанья. Сначала с испугом, потом с исступленной и нежной готовностью. Любовь, даже рабская и бестолковая любовь молодой, очень преданной женщины к мужчине, которым она так гордится, всегда придает ее внешности блеска. Елена цвела, она переливалась, и к ней приставали другие мужчины, которые думали, что раз такая, то, может, и выгорит. Не выгорало.

Они прожили почти девять лет, оба окончили университет, родили дочку с широким лицом, как у матери, и отцовскими глазами, голубыми и выпуклыми, назвали ее Василисой в честь деда (а дед был Василием). Мать-генеральша опять побелила везде потолки и вскоре купила ковер, правда, дорого, но очень уж он подошел им по стилю.

Заканчивался еще по-летнему теплый, но уже не по-летнему темный вечер, окна были открыты, и к ним во двор стекались проститутки, потому что с самой осени тысяча девятьсот девяносто девятого года именно их двор был местом собрания этих отбившихся от честной и правильной жизни девчат. Они повисали на детских качелях, свободных, поскольку детишки все спали, сидели вокруг тускло-серой песочницы, дымя сигаретами и матерясь, а парни, плечистые, крепкие парни, всегда молчаливые и безразличные, глядели на них из машин, подзывали, и девушка шла так, как будто не знает, зачем подзывают и что теперь будет, а после садилась в машину, и юбка ее задиралась почти до трусов. Присматривали за любовным хозяйством два славных сержанта: Сережа и Саша; им все доверяли, и Саша с Сережей, устав от надзора, бывало, ласкали во время дежурства, не отлучаясь, какую-нибудь из невыбранных девушек: им тоже хотелось вниманья и неги.

Итак, заканчивался вечер, дочка спала, а они стояли на кухне в полутьме, и он, глядя на нее в упор своими выпуклыми глазами, сказал, что работать учителем в школе ему очень трудно. И все объяснил. Другая женщина, наверное, закричала бы, или ударила его по небритой щеке, или бросилась бы под золотой полог к родной своей матери, чтобы и мать вскочила, крича, проклиная и плача, но наша Елена не сделала этого. Она опустилась на стул, побледнела при этом так сильно, что и полотенце, которым они вытирали посуду, казалось румяным в сравнении с нею. Ни рук и ни ног больше не было, словно их кто-то отрезал без боли и крови.

— Не знаю, что делать, — сказал ее муж, — смотрю на нее, а все мысли такие, что... Невмоготу.

— Ты что, извращенец? — спросила она.

— Нет. Впрочем, не знаю.

— Зачем ты сказал мне об этом? За что?

— Скрывать от тебя ничего не хочу.

И он замолчал.

С этого вечера их пути разошлись: Елена отправилась в ад, в лютый холод, а он поселился повыше, в тепле. В аду пахло кислым железом и рвотой, и рядом сновали какие-то тени, наверное, подруги ее по стыду. Муж, голубоглазый, с открытой душою, жил дома и спал на одной с ней постели, но ей стало страшно ночами с ним рядом.

ГЛАВА II

Вере было шесть лет, когда она впервые почувствовала любовь. Она жила на даче с бабушкой и многочисленными бабушкиными родственниками, а мама, оставшись в Москве, боролась то с папой, то с кем-то за папу, и в этой борьбе была вся ее жизнь. И тут к ним на дачу приехал Володька. Он тоже был чьим-то, наверное, родственником. Его поселили в садовом сарайчике. Она его помнила даже сейчас: прыщавый, скуластый и тощий Володька был на удивление легким и ловким. Он словно не шел, а летел.

Летая нал клумбами и над дорожками, засыпанными лепестками жасмина, он много смеялся и щурил на солнце свои небольшие припухшие глазки. Она уже знала, что кончится лето и он пойдет в армию.

Бабушка, страдающая за маму, нелепо влюбленную в мужа, который ее то терзал, то бросал, то снова терзал, а то снова бросал, в то ясное утро сидела на лавочке, и рядом с ней был узкоглазый Володька.

— Вернешься из армии, будешь работать. Найдешь себе барышню, может быть, женишься...

Она говорила, не думая, просто желая сказать что-то очень приятное.

— На Верочке вашей женюсь, — засмеялся визгливо Володька, — пойдешь за меня?

Ей было шесть лет, а она покраснела, как взрослая женщина, вся запылала. Потом сняла ленту, и волосы сразу посыпались сверху на голые плечи. Она послюнявила палец и быстро пригладила брови, как делала мама.

— Давай догоню, — предложил ей Володька.

Игра началась. Вера бегала быстро, а этот веселый тщедушный Володька, не подозревавший, какие сюрпризы ему заготовила жизнь, хохоча, летал за ней по аккуратному саду, поскольку он сам был почти что ребенок. Он вырос в семье хоть и бедной, но строгой. Догнав, он схватил ее сзади за локти, потом вдруг подкинул, как будто она была то ли куклой, а то ли мячом.

— Сказал «догоню», и догнал, — он смеялся, но вдруг, посмотрев на нее, перестал. — Ты плачешь, Веруська? Тебе что ли больно?

Она, шестилетняя, плакала горько. И он испугался.

— Ты что?

— Что-что? Ничего. Я устала!

Володька пожал в удивленьи плечами. Пошел по тропинке, усыпанной свежим, скользящим жасмином, к террасе, откуда их звали обедать, где бабушка уже разливала зеленые щи по белым глубоким тарелкам.

Веру уложили спать, как всегда, в половине девятого, но она не спала, и сердце внутри ее детской груди то громко стучало, то вдруг замирало, а то начинало вскипать, как вскипает малина в тазу, когда варят варенье. Странные, дикие желания одолевали ее. То ей хотелось выпрыгнуть из окошка, и прямо как есть, босиком, побежать к Володьке, в сарайчик, и честно сказать, что ей бы хотелось пойти вместе с ним, куда он прикажет. И в армию тоже. Она представляла, как он удивится, но тут же обрадуется, засмеется, оближет свои малокровные губы и крепко обнимет ее. Ах, как крепко! А то ей хотелось его ущипнуть, а может быть, даже ударить. Все тело ее как-то странно гудело.

На следующее утро Володька уехал, и Вера его постепенно забыла. А через два года, тоже летом и тоже на даче, бабушка вдруг спросила ее:

— А помнишь Володьку?

Она покраснела, и бабушка тихо сказала:

— Он умер.

— Его что, убили? — спросила она.

— Да нет, не убили. Хотя как им верить? Сказали, что умер от кори, и все. Теперь не вернешь. Погубили парнишку. Такой был простой. Ты, конечно, не помнишь. Играл с тобой в салочки здесь, хохотал...

И бабушка вытерла слезы ладонью.

Известие о Володькиной смерти сначала испугало Веру, но потом ей стало казаться, что она никогда и не знала никакого Володьки, никогда он не приезжал к ним на дачу, не ночевал в садовом сарайчике, не бегал за нею по этим дорожкам, ее не подкидывал в воздух, как куклу, не зная, что Вера его полюбила, не зная, что жить оставалось два года, не зная, зачем он пришел сюда в виде прыщавого и говорливого парня, а скоро уже уходить, улетать и вновь становиться бессмертным и вечным.

В восьмом классе в школе появился новый учитель английского языка и английской литературы. Фамилия у него была, как у композитора: Бородин. А звали Андреем Андреичем. Он был молодым, говорил резким басом, глаза его ярко синели на солнце. Старшеклассницы начали волноваться и подводить веки. Колени их нежно скрипели чулками, и звук был похож на морской звук ракушек, когда их потрешь ненароком рукою. Про Андрея Андреича тут же стало известно все или почти все. Он был женат, и у него была семилетняя дочка. Пришлось рассмотреть эту дочку придирчиво. Обычный ребенок, косички, носочки. Потом рассмотрели жену. Одета небрежно, лицо, как у этой... да, как ее? Древней? Ну, у Нефертити. Такие же губы, глаза, нос и уши.

И кто-то сказал:

— Да он ее бросит и не оглянется! Хотите поспорим?

Но спорить не стали: и так было ясно, что бросит. Странный был взгляд у Бородина: он устремлялся в самые зрачки собеседника, словно для того, чтобы собеседник сдался, не выдержав этой загадочной силы. Потом он свой взгяд отводил и при этом немного бледнел.

— Почему у тебя такая странная фамилия: Переслени? Ты что, итальянка? — спросил он у Веры.

Она была самой красивой из всех и самой худой, но при этом насмешливой.

— Нет, не итальянка.

— Тогда почему?

— Я точно не знаю. Мой, кажется, прадед приехал из Швеции.

— Из Швеции? Прадед?

— А может, прапрадед.

И Вера блеснула глазами. Тогда он сказал:

— Ты меня обманула.

— Я вас обманула? Да как я посмела?

— Ты любишь обманывать, — он усмехнулся. — Зачем, я не знаю. Наверное, для этого были причины.

Ей вдруг показалось, что он понял все. И сразу же стало не то чтобы стыдно, но весело и хорошо на душе.

Она была лгуньей, но не потому, что в этом искала какой-нибудь выгоды, а лишь потому, что судьба ее с детства сложилась так странно, что ей было легче, когда посторонние в душу не лезли.

Отец ее, Марк Переслени, считался талантливым драматургом, но из всего написанного им только одна пьеса шла на малой сцене Художественного театра и большого успеха не имела. Он рано встретил ее мать, очень быстро женился на ней, родилась сероглазая девочка Вера, которую он не успел даже рассмотреть как следует, потому что на седьмой день после родов переехал обратно к своим родителям, сославшись на то, что младенческий крик мешает работе. Несколько раз в году его засасывала тоска, от которой Переслени однажды прыгнул из окна, в другой раз топился и даже пытался повеситься. К счастью, а может быть, для того, чтобы продлить его испытания, ни одна из попыток не увенчалась успехом: прыжок закончился многочисленными переломами, из воды его вытащили и путем искусственного дыхания вернули к жизни — обратно на твердый песок, под синее небо, и он поразился тому, как сверкает поверхность реки, а внутри ее толщи — теперь-то он знал — был беззвучный, и белый, и страшный своей белизною туман. А что до веревки, так, может, он сам совсем не хотел умирать, закрепляя на шее своей эту хилую петельку. Короче, немного как будто играл.

Игры эти были опасными, но, надо думать, необходимыми, потому что как только тоска его доходила до своего пика и пик завершался попыткою смерти, он тут же вдруг и становился спокоен. Да мало сказать, что спокоен. Нет, счастлив и весел почти до восторга. Как преступник, освобожденный из тюрьмы, торопится в дом свой обнять всю семью, коня потрепать по загривку и снова, весь бешеный от наступившей свободы, с зарею уходит туда, где ждет его прежний разгул, и гуляет и пьет, — вот так же отец ее, словно боясь, что жизнь скоро кончится, вновь устремлялся навстречу случайным знакомствам и связям. При этом его дарованье бурлило, и он по неделям ночами не спал, а все сочинял, умилялся и плакал.

Внешность его была и не такой уж привлекательной, если разобрать ее по косточкам: у него были слегка оттопыренные уши, широкие губы, и он курил трубку, поэтому кожа его и одежда впитали в себя глубоко запах дыма. Но бедные женщины не замечали ни этих ушей, ни больших этих губ, и запах табачный их гипноти-

зировал. И, как на базаре факир подчиняет себе
бледноглазую, томную, с жалом, пропитанным
ядом и смертью, змею, так он подчинял себе
каждую женщину. К тому же ведь женщины как
насекомые: они только кружатся, жалят, жужжат,
трясут волосами и бедрами вертят. И даже когда с высоты прямо в снег, не выдержав голода,
ветра, мороза, комочком замерзшим летит во-
робей, и блещут сугробы, тверды, будто мрамор,
отчаянных женщин ничто не пугает. Они так же
бедрами вертят, как летом.

Отцовская жизнь от наличия женщин была
полна соком, как спелое яблоко. До новой тоски
и до нового страха.

Из-за такой весьма непростой и нервной ситуации в семье ребенок был брошен на бабушку
с дедом. Бабушку Вера скорее терпела и побаи-
валась, а деда, умершего, когда ей исполнилось
тринадцать, любила всем сердцем, ни разу ни в
чем ему не солгала. Мама, вдруг приезжавшая
домой на такси поздно вечером, вся запорошен-
ная снегом, в слезах, набрасывалась ураганом, и
Вера от страха лгала своей маме, желая, чтобы
ураган этот стих.

— Я завтра с тобой, послезавтра с тобой, —
задыхалась мама, осыпая ее поцелуями и сквозь
слезы всматриваясь в ее смущенное и испуганное
лицо. — Ты от меня отвыкла? Я вижу: отвыкла.
Но все! Я решилась. С отцом мы разводимся, я
возвращаюсь, и едем с тобой в Коктебель, — ты
ведь помнишь, мы были с тобой в Коктебеле?

Давно? Когда тебе было два года? К отцу твоему не вернусь никогда. Ты веришь мне, Вера?

И дочь отвечала ей с той неизменной фальшивой готовностью, звуки которой способны разрушить любую привязанность:

— Конечно, я верю.

— Спасибо, моя золотая, родная, моя ненаглядная, умная девочка! — И мама, прижавши к губам ее руку, опять заливалась слезами. — Я знаю, что веришь! Увидишь, вот так все и будет!

Вера отлично знала, что «так» ничего не будет, но для того, чтобы тяжелая сцена закончилась, она обнимала несчастную маму, шептала, что просто мечтает, как мама вернется домой насовсем и летом возьмет ее в отпуск. Но тут раздавался в столовой звонок, и мамин красивый щебечущий голос всегда говорил одну фразу:

— Зачем? Зачем ты меня беспокоишь? Зачем?

Потом хрупкий голос ее обрывался. Отец надсадно хрипел в телефон, как Высоцкий. Он ждал, пока мама, вздохнув полной грудью, задаст ему вечный вопрос:

— Обещаешь?

Услышав отцовское «да, обещаю», она надевала потертую шубку и таяла в воздухе. Мама уезжала обратно к отцу, в большую писательскую квартиру рядом с Третьяковкой, где отец жил один, похоронив многострадальных своих родителей, которые сошли в могилы, не дожив даже до семидесяти. Любимый сынок и его биография способствовали их уходу, конечно. Но мама о горьких примерах не помнила. Нельзя было маме не лгать.

Бабушке тоже не стоило знать той правды, которую Вера слышала от деда во время их длительных прогулок вдвоем по Большой Пироговской и прилегающим к ней переулкам. Правильно ли вел себя дед, доверяя двенадцатилетней девочке взрослые переживания, трудно сказать. Может быть, и неправильно. Но деду было одиноко, друзья его умерли — кто от чего, а девочка эта, с такими глазами, как будто она понимает не только им произнесенное, но даже больше, вдруг стала единственной сильной поддержкой его обесцвеченной старческой жизни. Прежде, когда она была маленькой, они бродили подолгу и больше молчали, только перебрасывались короткими фразами, а за два месяца до его смерти, случившейся в мае, дед почти каждый вечер просил ее выйти с ним в скверик и посидеть на лавочке, потому что было уже тепло, и медленно гасли в весеннем солнце купола Новодевичьего монастыря, и пахло землей, жадно освобождающейся ото льда и снега, и птицы кричали так громко, как будто им только что выдали тайну, и каждая, даже невзрачная птица, не будучи в силах хранить эту тайну, старалась как можно быстрее услышать, что думают все остальные об этом.

— Конечно, жена. И хорошая, верная, — рассказывал дед, — я к ней очень привык. Но я ведь ее никогда не любил. Любил я Тамару. Да, очень любил. Ты знаешь, ведь я не хожу на могилу. Сказать почему?

— Почему?

— Потому что душа моя с ней до сих пор.

И он замолкал, погружался в себя, почти забывая о Вере.

— Она умерла молодой? — шептала ему осторожная Вера.

— Она умерла молодой. Диагноз они не поставили. Сказали, что сердце. Да, сердце. Сначала они говорили, что грипп. Потом — воспаление легких. Потом, уже в самом конце только, — сердце. Пришел частный врач и сказал: «Это сердце». И мне говорит: «Я кладу ее в клинику». Но он не успел, и она умерла.

— Зачем же потом ты женился на бабушке?

— Ну как? Полагалось жениться. Но Томка! Она попадалась мне часто, все время. Еду однажды на своем «Москвиче» за троллейбусом и вижу: она! Стоит у окна в серой кроличьей шапке, читает какую-то книжку. Я еду, кричу ей: «Тамара! Тамара!» Она не услышала, книжку закрыла. И я сразу понял ошибку. Похожая женщина, это бывает.

Вере было двенадцать лет, а дед был старик, зачем-то доверивший ей свои тайны. Поэтому бабушке Вера врала, а когда дед умер и бабушка в сотый раз принималась рассказывать, какая была между ними любовь и как она вспыхнула с первого взгляда, то Вера глаза отводила, молчала.

Итак: ложь была, много лжи. Как много воды на земле: рек, озер.

Когда этот новый учитель уставился на нее голубыми глазами и вдруг побледнел, она даже не удивилась. На нее часто заглядывались в метро и на катке, она знала, что похожа на маму, а от мамы было не оторваться. Теперь нужно было закрепить за собою эту победу и одновременно утереть нос всем выскочкам, которые без стыда без совести крутили перед ним своими выпуклыми задами и щурились так, что смотреть было тошно. Развратная Танька, у которой мать заведовала сразу тремя скупками на трех разных рынках и все приводила к себе мужиков и даже в мороз прогоняла ребенка, а именно Таньку, гулять, и потом замерзшая Танька стояла в подъезде и грела свои красно-сизые руки, которые были такими холодными, что даже не чувствовали поначалу тепла батареи, — развратная Танька сказала, что ей соблазнить педагога — минутное дело. Никто ей не верил. Никаких ухажеров и любовников у самой Таньки, разумеется, не было, да и ни у кого из них не было никаких любовников, но всем не терпелось скорее попробовать, и все целовались направо-налево, кто с кем. Кто с командировочным возле гостиницы, кто с братом подруги, кто с теткиным мужем, но дальше таких затяжных поцелуев не двигалось, хоть ты умри. Они были — школьницы, в школе учились. И брата подруги могли посадить, и командировочных тоже могли — на то есть статья Уголовного кодекса.

— Переслени, — сказал Вере Андрей Андреич Бородин, — не шведская фамилия. Я это проверил.

— Вы что, шпионите за мной? — спросила она.

И он удивился с таким простодушием, как будто бы был не учителем в школе, а честным и правдолюбивым подростком.

— Шпионю? Зачем?

— Так что вам за дело до этой фамилии?

— Ты всем так грубишь?

— Я вообще грубиянка. — Она засмеялась.

— Ты очень красивая. — Сердце ее застучало так сильно, что Вера отступила на шаг, боясь, что он услышит. — Да. Очень красивая, — он побледнел.

— Вы тоже, — сказала она, задохнувшись. — Хотите, скажу почему?

Тогда он вдруг захохотал. Схватился руками за оба виска и стал хохотать очень громко и грубо.

— Ну все! Я пошел. Я работы лишусь!

— За что? — прошептала она. — За меня?

И он оборвал странный хохот.

— Конечно. Сама, что ли, не понимаешь? Конечно.

22

Она опустила глаза:

— Нас увидят, — сказала она.

— Да, увидят, — вторил он. — Но, может быть, это судьба.

Она испугалась, что скажет нелепость и этим его навсегда отпугнет. Стояла, кусала припухшие губы.

— С кем ты целовалась? — спросил он.

— Ни с кем.

— А что ж тогда губы распухли?

— Не знаю. Наверное, просто кусаю их часто.

— Какая ты сильная, — вдруг он сказал, — сильнее меня. — Звонок оборвал его речь. — Ну, все. Мне пора, — прошептал ей учитель.

Они пошли рядом по коридору и вместе вошли в класс. Шестым уроком была английская литература. При виде вошедших школьницы заерзали на стульях. Теперь оставалось одно — ждать и ждать. Расколется этот секрет, как орешек, и выскользнет ядрышко, темное, сладкое. Терпенье, подруженьки! Ждать вам недолго.

— Сегодня, — сказал учитель английской литературы Андрей Андреевич Бородин, — я хочу рассказать вам об очень странной женщине. Вы все говорите: «Цветаева, Цветаева!», а о поэте Эмили Дикинсон, которая была американкой, даже и не слышали.

Он вытащил из рюкзачка, заменявшего ему портфель, выдранную из книжки фотографию молодой и тускловатой девушки в большом белом воротнике и пышном платье. Девушка была причесана на прямой пробор, букли окружали ее вытянутые щеки, как гроздья сирени.

— Эта женщина писала гениальные стихи, их почти невозможно постигнуть. Все слова написаны с большой буквы. Ну вот, поглядите: «Тьма. Я Хочу. Но Я не Знаю, Слышишь ли Ты Мое Сердце».

Школьницы «8 А» покрылись колкими мурашками. За Андрея Андреича хотелось умереть. Пойти и сложить в поле голову. Порозовевшие лица, включая скуластую грубую Таньку, тянулись к нему так, как утром растенья с доверчивой жадностью тянутся к солнцу.

Учитель остановил свой взгляд на Вере Переслени:

— Сколько бы ни копались в жизни Эмили Дикинсон и какие бы ни выдвигали гипотезы, я лично уверен в одном: ее поэтический гений родился из отроческой любви, которая не могла закончиться браком. Эта девушка в пятнадцатилетнем возрасте влюбилась в пастора, а пастор влюбился в нее. Вот и все.

— Дела! — простонала всей грудью Татьяна и руки прижала к щекам. — И где ж они... это... Встречались-то где?

— Встречались во снах, — сказал жестко учитель, — он снился Эмили каждую ночь. Она ему снилась, наверное, не реже.

— Так разве же это любовь? — не сдавалась привыкшая к стонам родной своей матери и к скрипу ее матраца веселая Танька.

— Да, это любовь, — отрубил Бородин. — Читайте стихи и услышите сами.

Наивный человек! Неужели он не догадывался, что стихи ничего не говорят девушке, пока в ее робких и бледных сосудах, в мозгу, в животе и под тонкими ребрами не вспыхнет вдруг новое солнце со звездами и не народится иная вселенная, в которой не будет ни школы, ни дома, ни ночи, ни дня, ни сестры и ни мамы, а будет лишь тот, чья рука или даже нога, скажем, в лыжном и грубом ботинке, чей взгляд исподлобья, чей голос охрипший заставят звенеть ее девичью душу и целую жизнь подожгут так, как хворост.

— А что этот пастор, — спросила вдруг Вера, — ведь он же мог просто жениться на ней?

И взгляды их пересеклись.

— Жениться? — он оторопел. — Как жениться? Он пастор, она прихожанка. Их знают.

— И что? — Переслени вздохнула: — Подумаешь!

— Что значит «подумаешь»? Маленький город, и все на виду...

— Ну подумаешь, город! — сказала она. — Вы стихи почитайте.

И он стал читать, даже в книжку не глядя:

> Когда дрожит Небо —
> Это Твоя Душа ищет Мою
> В Сугробах больших Облаков
> И находит.

И Вера ему улыбнулась испуганно, как будто он к ней прикоснулся всем телом.

ГЛАВА III

Дома Андрей Андреич близко подошел к Елене, своей жене, и в самое ухо ее продышал:

— Я что-то совсем не справляюсь с собой. Ты знаешь, о чем я. Ты знаешь?

— Да, знаю.

Да, странной была их семья, необычной, и мать-генеральша, прожившая с мужем почти сорок лет, повидавшая всякого, понять не могла, почему ее дочь, красивая, очень неглупая, честная, как будто прилипла вся к Бородину: чуть только потянешь ее слегка в сторону, она упирается, не поддается, — да хоть ты всю кожу сними с нее, хоть все волосы вырви, она не уступит!

Еще до свадьбы Андрей Андреич, совсем молодой паренек, сказал своей широкоскулой невесте, что он никогда не потерпит обмана.

— Я буду с тобой откровенен во всем. И ты со мной тоже. А если полюбишь кого-то, скажи. Тогда у нас будет достойная жизнь.

— Но мы же... Андрюша... ведь мы же друг дру-га... — она растерялась и вся запылала.

— Сейчас — да. Друг друга. Но это — сейчас.

Прошло девять лет.

— Ты влюблен в ученицу?

— Ее зовут Вера, — сказал Бородин.

Паркет закачался под бедной Еленой. Она ухватилась руками за стул.

— И что теперь делать?

— А я сам не знаю, — он вдруг усмехнулся. — Тупик, вот и все.

— Ей сколько? Пятнадцать?

— Пятнадцать. — И он помрачнел. — Что с того?

— Тебя ведь посадят, — она ужаснулась. — Растление детей. Ты ведь сядешь пожизненно.

— А я буду ждать, — он опять усмехнулся, — сейчас ей пятнадцать, но будет шестнадцать.

— Да лучше б ты умер, — сказала она.

Какие, однако, прекрасные женщины ходили когда-то по нашей земле! И как их терзали мужья, предавали коварные слуги, казнили отцы! Узнает какой-нибудь римский патриций, что дочку недавно сманили в христианство, так он сгоряча и отрубит ей голову.

Елена могла быть примером достойной жены. Она рождена была, чтобы супругу украсить земную юдоль, чтобы вместе пройти испытания и насла-

диться взаимной любовью, и дружбой, и верностью. Случись ему быть декабристом, она бы, в собольем салопе и теплом платке, обнявши родных и друзей напоследок, в Сибири морозной, заросшей лесами, наполненной каторжным людом и сбродом, нашла бы в себе и смиренье, и силу, растила бы деток, играла Шопена, а в праздник кормила бы, как полагается, весь сброд этот сдобами и калачами. Да что декабристы! А вот вы возьмите другие примеры. Читали вы повесть «Авдотья Рязаночка»? Напрасно, что вы не читали, прочтите. Жила себе скромная баба Авдотья. И вдруг наступило татарское иго. Широкое поле с пшеницей и рожью, луга заливные со всем их цветеньем, леса с легкокрылыми бойкими пташками, короче: природа окрасилась кровью. И что же Авдотья? А вот что. Авдотья, рискуя собою, пошла прямо в крепость, татарскую и неприступную крепость, просить, чтобы хан отпустил ее мужа, и сына, и брата, и зятя из плена. Пошла, повязавшись суровым платочком, и шла целый год. Исколола все ноженьки.

Однако же я увлеклась, чтобы лучше представить читателю образ Елены. Она, уверяю вас, не уступает ни в чем этой смелой и доброй Авдотье.

Шло время, но жизнь словно остановилась. Как будто бы в самой ее глубине рассыпалось главное, и вся поверхность растрескалась, сморщилась и потускнела. Хотелось дышать, но дышать было нечем, хотелось уйти, но уйти было некуда, хотелось решиться на что-то, но это желание было опасней всего. Вера Переслени перестала посещать уроки английской литературы. Несколько раз Андрея Андреича и Веру видели разговаривающими на автобусной остановке, причем говорил Бородин, а Вера стояла, внимательно слушая. Однажды она наврала, что подвернула ногу, ее отпустили к врачу, а потом видели из окна, как она вышла из здания школы и быстро, нисколько не хромая, пошла по направлению к Новому Арбату, а через пятнадцать минут в том же направлении заспешил и Бородин, на ходу обматываясь шарфом.

И вдруг разразилась беда. Васенька попала под машину. Генеральша, крича и рыдая, дозвонилась Андрею Андреичу, и он на такси помчался в больницу, куда только что была без сознания доставлена Васенька. Как это могло случиться, что, переходя за руку с Еленой дорогу в Малом Неопалимовском переулке, она вдруг выпустила материнскую руку и, радостная, устремилась вперед? Потом оказалось — подружку увидела. Шофер не успел даже притормозить. Его самого без сознания вынесли.

Ни Бородин, ни Елена, жена его, ни ее мать, — скажи им кто-то заранее, что в понедельник утром, когда сыпал на Москву легкий и праздничный снег, похожий на тот, который сыпется на сцене Большого театра во время любимых балетов и опер, что в это утро им суждено будет увидеть свою девочку, свою эту крошечку, славную, кроткую, увидеть ее в синяках и в крови, и медсестра будет просить их отойти, не мешать, не трогать ребенка, не поправлять безжизненно откинутую набок голову, которая както ужасно дрожала, когда ее быстро везли на каталке, — скажи им такое заранее кто-то, смогли бы они после этого жить? Васеньку увозили по длинному больничному коридору, чтобы приступить к операции, и все это было так срочно, так жутко, что генеральша не успела даже позвонить своей подруге, полковнику медицинской службы, занимающей высокий пост в министерстве, и попросить эту подругу со странным для полковника именем «Одетта», чтобы та послала лучшего хирурга, — нельзя было ждать ни минуты.

Странное свойство имеет любое несчастье, и не знаю я, замечали ли вы, дорогие читатели, это свойство. А состоит оно в том, что если заранее сказать человеку, через что ему суждено пройти, то страх охватит этого человека с такой силой, что станет он просить у Бога смерти, лишь бы не испытать положенного ему судьбою. Но, Господи, слава Тебе! Поскольку когда наступает несчастье, оно принимает размеры души того человека, которому послано. Несет каждый только свой крест. Именно так и произошло с Андреем Бородиным, женой его и матерью жены. Несчастье обрушилось сразу на всех, расплющив троих и слепив что оста-

лось в одно существо. Они повторяли друг друга: шептались, потом замолкали, потом пили воду. Но так продолжалось недолго, и снова они разделились на разных людей.

За шесть часов в голове Бородина не проскользнуло ни одной сколько-нибудь связной мысли. Он чувствовал, что виноват. Вина была не в том, что он был плохим отцом, а в том, что за три последних месяца он ни разу не подумал о себе как об отце. Он вообще не думал о себе без того, чтобы тут же не представить рядом Веру Переслени, и в этом он был виноват перед Васенькой.

Узнав, что врачи приступили к работе, вдова генерала внезапно заснула. Она, человек очень слабый и робкий, забилась, как зверь забивается в чащу, в спасительный сон. Лицо ее было и детским, и старым, помада, оставшаяся на губах, вдруг приобрела лиловатый оттенок.

Елена сидела между мужем и матерью и крепко держала их за руки. Она вцепилась левою своею рукой в руку Андрея Андреевича, а правою — в руку матери. Пальцы Бородина были ледяными, и от этого левая ладонь Елены тоже стала остывать, в то время как правая — разогрелась и вспотела в руке матери. Лена не замечала, что плачет, но слезы лились и лились по ее распухшему лицу, отчего оно стало еще шире, и сходство с Нефертити, давно замеченное многими, полностью исчезло.

Через три часа к ним вышел ярко-рыжий, маленький и веснушчатый человек, под бледно-зеленым халатом которого шарами вздувались огромные мускулы.

— Спасли вашу дочку, — сказал он устало. — «Спасли» в смысле — жизнь. А дальше что будет, сказать не могу. Закрытая черепно-мозговая травма — вот о чем речь. Переломы ног — это в ее возрасте ерунда, срастутся. А голова — другое дело.

— Что значит «другое»? — спросил Бородин. — Калекой останется?

— А я не знаю, — ответил ему мускулистый. — Не знаю. Пророчить не буду.

Что-то разорвалось внутри Бородина. Он вдруг ощутил всем своим существом, что если сейчас не вернуть его Васеньке ее эту детскую прежнюю жизнь, то он не посмеет приблизиться к Вере. До Веры ли будет! И в эту секунду Елена, жена, обмякшим и форму теряющим телом сползла вдруг к ногам его с тем безразличьем, с которым сползает подтаявший снег с карнизов домов.

— Обычная вещь — спазм сосудов, обычная, — сказал быстро врач. — Все пройдет, посадите, водички ей дайте, большая нагрузка. Вам скажут, что дальше. Пока подождите.

Елена открыла глаза и странную, дикую фразу сказала:

— Чтоб только жила. И можешь уйти. Ты свободен.

Он много раз вспоминал эти ее слова, и холодный пот прошибал его: неужели они одновременно подумали об одном и том же? И так же, как это бывает, когда в адской темноте тоннеля вдруг сталкиваются на полной скорости поезда и мертвыми падают со своих неудобных высоких стульев машинисты и в груде железа, обломков и криков уже не понять, что случилось, — вот так и они столкнулись во тьме наступившего горя с одною и той же бессильной попыткой: пожертвовать тем, что дороже всего. Как будто бы каждый из них спохватился и вспомнил: ведь есть что отдать! Возьми — за ребенка. А дочку не трогай. Оставь ее нам. Елена его отпускала, а сам он, — хоть вслух ничего не сказал, — содрогнулся, когда вспомнил школьницу: не подойду.

Они умоляли не Бога, а идола, к которому — о, как давно — обращались задолго до живописи, режиссуры, до музыки, до магазинов, до денег свирепые, мрачные, дикие люди. И если бы кто-то подслушал их мысли, открыл бы грудную их клетку, увидел, что там происходит: внутри и в крови, какая идет там нелепая сделка, то страх охватил бы того человека, а может быть, даже презрение к ним.

Целый месяц, пока Васенька не поднялась с больничной кровати, не начала потихоньку передвигаться и не прошло так испугавшее их и насторожившее врачей косоглазие и дрожание левого зрачка, ни Бородин, ни Елена не говорили между собой ни о чем, кроме того, что касалось девочки. Елена почти безотлучно находилась в больнице, поскольку Одетта, полковник медицинской службы и близкая подруга генеральши, устроила для Васеньки отдельную палату. Спала там, на кресле, и ела на кресле, и даже халат надевала больничный, когда становилось темно за окном. Нужны были деньги, и мать-генеральша сняла свою люстру, которая так украшала их дом, и люстру купила другая подруга, супруга дантиста, на даче которой как раз не хватало одной такой люстры.

Андрей Андреич Бородин не мог позволить себе долгого перерыва в преподавательской работе и начал опять приходить на уроки, и ставил отметки, и что-то рассказывал, но все в школе знали, что дочка учителя висит между жизнью и смертью. Все вдруг изменились, все стали скромнее, умнее, отзывчивей, не раздражались, и девушки-девятиклассницы даже не красили век, не скрипели чулками.

Иногда он, забывшись, останавливал неподвижно-голубой взгляд на школьнице Переслени, и тут же темнели глаза, наполнялись паническим страхом, как будто он видел не девочку Веру, а черта с рогами. Сразу после уроков Бородин ехал в больницу, сдавал в раздевалке пальто, надевал белый халат со следами чужой застиранной крови и, не дожидаясь лифта, прыгал через ступеньки старой каменной лестницы наверх, на четвертый этаж. Если Васенька спала, то жена его Елена обычно лежала в ногах своей дочки и тихо дремала. Бородин замирал в дверях, и эта картина, которая открывалась его глазам с самого порога, снова и снова впечатывалась прямо в мозг, и сегодняшнее изображение, когда Елена, скажем, прикрывала глаза ладонью правой руки, накладывалось на вчерашнее, когда ладонь ее правой руки поглаживала истончившиеся и почти прозрачные пальчики спящей Васеньки, соединенные между собой так, как их соединяют покойникам: одним хрупким веером маленьких косточек на веер других, столь же хрупких и нежных. Он стоял на пороге, и душа его начинала привычно кровоточить в то время, когда происходило это своеобразное наложение одной картины на другую, сегодняшнего — на вчерашнее, вчерашнего — на позавчерашнее и так далее, до тех пор, до того самого первого дня, когда Васеньку перевели из реанимации в эту палату, и тут же Елена над ней распростерлась, и тут же застыла, и тут же срослась с ней.

Он бросал рюкзачок у стены и садился на стул рядом с кроватью. Жена его приоткрывала глаза. Прежде, когда она смотрела на него, взгляд ее сразу же становился взволнованным и начинал блестеть, как будто в него опускался огонь не видимой людям звезды. Сейчас взгляд Елены был тихим, тоскливым.

— Ну, что она? Как? — говорил Бородин.

И Елена начинала тусклым, крошащимся голосом рассказывать ему, как прошли эти сутки, сколько шагов удалось сделать Васеньке с поддержкой матери и сколько без поддержки, что огорчило врача и что его порадовало в Васенькиных последних снимках. Она говорила монотонно и невыразительно, словно выполняла свой долг перед тем человеком, который был отцом ее ребенка и, стало быть, имел право знать всю правду.

Она была женщиной сильной и честной, и он это знал.

Вернувшись вечером домой из больницы, он видел похожие перемены в лице и поведении генеральши. И она, так же как ее дочь, опускала глаза, стараясь не встречаться с ним взглядом, быстро и аккуратно подавала на стол, зная, что он не задаст ни одного вопроса, откуда вся эта еда, даже фрукты, а он словно бы не хотел даже знать, как ей удается поддерживать дом. Он просто садился и ел все подряд, потом говорил ей «спасибо», шел в спальню и сразу ложился.

Оглядываясь на закрытую дверь комнаты, генеральша торопливо набирала номер супруги дантиста и быстро, скосившись на дверь, говорила, что ей надоели те самые бусы, которые, помнишь, ты очень просила, а я не хотела, а вот разглядела, что мне эти бусы совсем ни к чему, у Лены — свои, и там жемчуг крупнее, а я уже старая, шея в морщинах, так, если ты хочешь, я их подвезу. Подруга, которая все понимала и знала, что денег взаймы или «так» ни Лена, ни мать ее просто не примут, кричала в ответ ей, что именно эти, ты знаешь, что именно эти вот бусы нужны позарез, и, конечно, возьму, ведь мне идти в гости, и этот твой жемчуг такое спасенье. Прежде, до того, как случилась беда с Васенькой, они жили совсем неплохо, потому что генеральша получала пенсию за своего покойного мужа, а Елена давала частные уроки английского языка и учеников у нее было хоть отбавляй. Зарплата, которую приносил домой равнодушный к быту Андрей Андреич, составляла самую скромную часть их семейного бюджета, но ведь от него ничего и не ждали, вернее, Елена ничем не хотела ему докучать. Теперь, когда их отношения стали другими, и все девять лет опустились на дно, подобно какому-то судну, с которого успели спастись пассажиры, однако, барахтаясь в бурной и грязной воде, никто из них не был уверен, что выживет, — теперь было стыдно жалеть просто вещи и переживать за ничтожные мелочи. Погруженный в себя Бородин не знал, что пустеет шкатулка, где теща хранила свои украшения, и даже того не заметил, что люстра куда-то исчезла. Теперь вместо люстры висела уныло какая-то желтая чешская лампа, вполне из советских нехитрых времен.

Но главное — он не знал той душевной работы, которая шла и шла внутри его жены Елены, отчего она постарела и стала опускать глаза свои всякий раз, когда он с привычною выпуклой зоркостью смотрел на нее.

Ни одна женщина не удержалась бы от того, чтобы не воскликнуть в порыве отчаяния и не задать Богу вопрос, который не имеет никакого смысла, но люди не понимают этого и никогда не поймут, сколько бы им ни объясняли. Вопрос этот даже и не задается, он словно бы сам разрывает все горло и, выйдя наружу из тела, горячий, кровавый и страшный, растет вместе с криком, слезами и стоном, поскольку он редко бывает беззвучным и редко бывает бесслезным и кротким.

«За что? — ужасалась Елена. — За что? Она же ни в чем еще не виновата!»

Прошло несколько дней, и, сидя неподвижно у кровати Васеньки или забываясь чутким сном в ногах ее, Елена начала чаще и чаще возвращаться к этому вопросу и сама искать ответ. Трудно ведь согласиться с тем, что нет прямых причин и следствий внутри человеческой судьбы и сложен узор ее, непостижим. И так не бывает, что ты вопрошаешь и ангел сейчас же тебе отвечает. Сам думай, слепой человек, сам ищи.

«За что? — повторяла она диким шепотом и гладила нежные плечики Васеньки, столь тихие и беззащитные плечики, что бедной Елене хотелось кричать и выть, как собака, и биться о стену. — За что? Объясни мне. За что Ты ее?»

И тьма стала вдруг раздвигаться, как занавес. Его это предупредили, его. Здесь — девочка, доченька, там — тоже девочка. Вся ее девятилетняя любовь к этому голубоглазому человеку, весь восторг, который она испытывала от каждого слова его, теперь обжигали стыдом, было страшно, когда он опять вырастал на пороге.

«Да, он извращенец, — шептала Елена, — он, может быть, даже преступник, насильник, а я и не знала! Когда он пришел и сказал, что его измучили гадкие эти желания...»

Рвота подступала к горлу. Елена закрывала лицо руками, и в темноте ее сомкнувшихся ладоней глуховатый голос Андрея Бородина начинал звучать так отчетливо, словно весь Андрей Бородин, сжавшись до размеров кузнечика, помещался внутри: «Она уже женщина, взрослая женщина, и пахнет как женщина... Я не могу... Скрывать от тебя ничего не хочу...»

«Нужно было тогда бежать от него! — думала Елена. — Нужно было гнать его в три шеи! А мне показалось, что он просто честен и что все другие, которые так же, как он, это чувствуют, просто боятся признаться, боятся сказать! А он вот такой необычный и искренний, и сам — как ребенок: признался во всем... Я думала, это пройдет, подожду...»

Теперь она знала, что ни минуты не сможет жить с ним вместе, в одной квартире, и спать на одной постели, и есть за одним столом. Но что делать с Васенькой, как сказать маме? То, что маму удар хватит на месте, Елена не сомневалась. Выросшая в простой и трудолюбивой семье и вышедшая замуж за честного лейтенанта, дослужившегося до генерала сухопутных войск, пускай грубоватого и не читавшего ни Гейне, ни Гете, ни Байрона с Фетом, ее кареглазая мама была простодушной, как девочка. Любила и дочку, и внучку без памяти. Советскую власть сперва очень любила, и как рассказали о всех злодеяньях и всех преступлениях против народа, и как переехал в Москву Солженицын, она даже плакала от огорченья, но после смирилась и вытерла слезы. Теперь она скажет Елене: «Я чуяла, чуяла! Чужой человек. Он — чужой человек. И я говорила тебе, что отец — он грудью бы встал, а тебя не пустил! Отец бы его раскусил за версту и сам бы нашел тебе честного парня, хорошего, *нашего* парня, а этот...»

Однако Елена боялась не матери, не слез материнских, не даже инсульта, хотя генеральша страдала давленьем, как все располневшие добрые женщины. Что с Васенькой будет? Андрею Андреичу Бородину можно было предъявить все что угодно, вплоть до постыдных извращенческих побуждений, но нельзя было отказать ему в нежном и заботливом отношении к Васеньке, которое сказывалось не в том, что он любил, скажем, кататься с ней вместе на санках с горы, а в том, что он Васеньке столько рассказывал, читал с нею книжки, смотрел с нею фильмы, и Васенька папе во всем доверяла, ждала, пока папа проснется, в субботу и сразу бежала к нему на кровать, садилась, в своей полосатой пижамке, на папину грудь, щекотала его, и оба смеялись: он — глухо, отрывисто, она — колокольчиком, светлым и чистым.

Елена склонялась над спящею дочкой и руки сжимала до боли. Как дальше жить с мужем, который так грешен? Ведь Бог и ее тоже предупреждает! И она повторяла и повторяла себе, что, как только Васенька выйдет из больницы, нужно собраться с духом и сказать Бородину, что они должны расстаться, потому что не только находиться с ним под одной крышей она не может, но даже и просто представить себе, что он где-то рядом, ей невмоготу. Он, разумеется, смолчит и сразу же начнет собирать вещи, чтобы уйти, и тут вдруг появится Васенька. Зрачки у Елены расширялись. Она видела, как девочка ее, худенькая, с неокрепшими после переломов ножками, спрашивает, куда это папа уходит. И что ей сказать?

Четырнадцатого декабря, в ночь со среды на четверг наступило полнолуние.

Много, много всего знают земные существа об этом страшном небесном явлении и боятся времени, когда оно происходит. Тревога съедает всякого, порою и не слишком чувствительного человека, а что говорить о чувствительных людях! Сколько приличных отцов семейств выбросилось из окон по всему миру, включая даже веселую Бразилию, сколько заботливых матерей вцепились белыми от теста руками в волосы дочерей своих и принялись выдирать эти волосы с такою силой, что слезы потекли из глаз девушек, не чувствующих за собою никакой вины и даже еще не беременных вовсе от каждого встречного и поперечного?

*Однако никто, уверяю вас, не боится полно-
луния больше, чем санитары «Скорой помощи»,
сумасшедших домов и медперсонал венерических
клиник. Про «Скорую помощь» понятно: число вне-
запных инсультов, инфарктов и просто сердечно-
сосудистых кризисов во время луны этой, мрачно
горящей в седых небесах, возрастает так мощно, что бледные до желтизны доктора, третий
день не спавшие и вторые сутки не евшие, даже и
электрокардиограмму больному не делают, чтобы
не терять даром времени. А просто запихивают
несчастного в кузов машины и мчат его прямо в
больницу: скорее сдать в руки другого, такого же
бледного, желтого доктора. Что касается нерв-
ного диспансера, то в нем дежурят не три сестры
на отделение, как это принято в обычные дни, а
четыре или даже пять, причем выбираются самые
выносливые, закалившиеся еще при Андропове, когда не принято было сюсюкать с пациентами и им
улыбаться сквозь редкие зубы. И поверьте, что
даже и впятером эти сильные женщины не могут
справиться с теми, на которых особенно действует притяжение луны, ибо больные начинают плакать, вспоминать умерших и строить громоздкие
планы на будущее. Нечего и говорить про клиники
для излечения венерических заболеваний. Картина
в них кажется мне пострашнее, поскольку и сами
болезни ужасны. И много их, много их, этих болезней! А уж пациентов и вовсе не счесть! А все
почему? Потому что в тревоге от полной луны,*

ее белого света, они повступали в случайные связи и ждут самых стыдных для жизни последствий.

Есть, говорят, и хорошие стороны полнолуния, но смешно их даже сравнивать с плохими, смешно и неловко. Уверяют, например, что в полнолуние везет виноделам. И в карты везет им, и даже с любовью. За что, почему им везет, непонятно. На редкость удачливыми оказываются также и те, которые выходят на сбор крабов и моллюсков. Крошечные эти существа по своей природной доверчивости охотно вскользают в сачки, банки, сети, стараясь поближе прижаться телами к венцам мирового творения, к людям, наивно надеясь, что те их спасут.

Но самое главное все же не в этом. Сбываются сны полнолунные, вот что. И тот, кто увидит свой сон в этот час, тот может считать, что ему предсказали судьбу и не ошиблись ни в чем.

Итак, в ночь с тринадцатого на четырнадцатое декабря измученная Елена заснула в ногах своей худенькой Васеньки, и тут посетил ее сон, а уж в небе такая сияла луна и глазами такими глядела на наш этот мир, что я бы, увидев такие глаза, не стала бы лезть больше в космос, желая его покорить для неведомых целей. А ну как он нас покорит, ненасытных? И что тогда делать?

Во сне Елена увидела, как они с мужем гуляют в чужом тропическом лесу, полном дикой растительности и таком звучном, как будто бы это не лес, а оркестр. Однако темнело, и осторожная

Елена стала упрашивать Бородина вернуться, пугая его наступлением ночи, а он по своей привычке ничего не отвечал и только отмахивался. Лицо его было таким ярко-бледным, как будто он болен и скоро умрет среди этих ярко-мясистых растений.

— Андрюша! — сказала Елена. — Давай поскорее вернемся обратно. Кто знает, что там, в темноте этой чащи?

— Там змеи, — вдруг забормотал Бородин. — Там змеи одни, больше нет никого.

— Они ядовитые? Господи Боже! — вскричала Елена. — Андрюша, бежим!

— Да поздно бежать, — отвечал Бородин и вдруг закатал до колен свои брюки.

Елена с ужасом увидела, что вместо ног у ее мужа черные и сильно пахнущие костром деревяшки. Она обмякла и прислонилась спиной к дереву.

— Мересьева помнишь? — спросил Бородин.

— Какого Мересьева?

— Мне кажется, звали его Алексеем, — сказал он задумчиво.

— Летчика, что ли? — спросила Елена.

— Плясал на столе, — объяснил Бородин, — безногий, чечетку выстукивал. А польку и вальс танцевал лучше всех.

— Откуда ты знаешь? — удивилась Елена.

— А правды не спрячешь, — сказал Бородин.

Сон ее был особенно страшен тем, что они разговаривали в нем так же просто и отчетливо, как разговаривали бы в жизни, но их разговор был таким, словно оба они потеряли рассудок.

— Я буду летать, — он продолжил. — Увидишь.

Елена помнила, что это был сон, и тщетно пыталась проснуться, но черно-мясистые тропики всеми шипами, цветами, усами своих мокрых трав так вцепились в нее, что даже дышать стало трудно. Тем временем муж вдруг куда-то исчез. Елена привстала на цыпочки: он живо скакал на своих деревяшках, подобно большому самцу кенгуру, бросал ее в джунглях на верную гибель.

Васенька захотела пить и сказала: «Мамочка!» Елена мигом вскочила, дала дочке самодельного лимонаду и снова устроилась у нее в ногах.

ГЛАВА IV

Дом, в котором жила старшеклассница Вера со своей бабушкой и изредка — мамой, потому что мама наведывалась не каждую неделю, а ночевать оставалась все реже и реже, был в десяти минутах ходьбы от метро «Спортивная». Это была громоздкая сталинская постройка с большим, заросшим липами и кленами двором. Зимними ночами покрывались слегка синеватым льдом голые и обездоленные деревья, отчего двор сразу становился хрустальным, и хрупким, и словно молящимся, поскольку не все его ветви глядели на землю, а некоторые замерзали причудливо, поднявши наверх свои длинные пальцы. Лифт в доме часто не работал. Но ужасно не то, что он не работал, а то, что он застревал между этажами, и в кромешной, позвякивающей железными цепями темноте висели в потухшей кабинке почти задохнувшиеся пассажиры, крича голосами, похожими часто на тонкие птичьи и на комариные. Никто, однако, не спешил им на помощь, потому что редко открывались двери квартир, жители были по большей части старые, неуклюжие, несколько даже пугливые. И те, которые висели в темноте кабинки, хотя и вылезали, в конце концов, живыми, румяными, в полном рассудке, но потрясения не выдерживали и многих потом выносили из дома, накрытых простынками и неподвижных. Соседи печально смотрели из окон, но мысль, что и их понесут точно так же, пока что не всех посещала. А странно. Верину бабушку, сильную, но полностью сосредоточенную на материальных ценностях, эта мысль не посещала никогда. Бабушка словно и не подозревала, что она умрет, и, судя по своей властности, намеревалась жить вечно. Так думал любой, кто с ней соприкасался, а ведь ошибался. На то мы и люди. Воспитав дочку в уважении к семейному достоинству и, главное, верности (да, это главное!) — и видя теперь, как ее надувают, и как она плачет, и как она бьется, и как Переслени калечит ей жизнь, просила несчастная бабушка Бога, чтобы Он забрал ее лучше к Себе, лишь только не видеть бы этих страданий. Однако потом она вдруг вспоминала, что ей с высоты будет только сподручней вести наблюдение за Переслени, а что уж касается Лары — тем более. А стало быть, *там* ей покоя не будет.

— Ларочка, ты такая привлекательная, — повторяла она дочери, — за тобой столько ухаживали и будут ухаживать. И предложения у тебя будут и...

— О Господи! Я не могу!

Дочь хватала любой бесполезный предмет, вроде нитки, свисавшей со стула, и, всю эту нитку зачем-то себе намотав на мизинец, глаза поднимала на мать:

— Не могу-у-у!

— А ты вот смоги! Вот другие-то могут!

И спор обрывался.

Напрасно, однако, запутавшаяся в жизни Лариса Генриховна не прислушивалась к тому, что ей говорили. Тем более кто говорил? Мать родная. Ведь именно она и заметила перемену в поведении Веры, и совпала эта перемена как раз с появлением во дворе совершенно посторонних людей, к тому же иностранцев. Сборная бригада, составленная силами трех стран: Турции, Сербии и Болгарии, занялась ремонтом их прочного, немного угрюмого дома. Зима была в самом разгаре, но солнце слепило как будто весною, и не привыкшие к русскому холоду приезжие, поначалу отчужденные и молчаливые, постепенно вошли во вкус своей работы, бойко стучали, таскали, бурили и красили синею краскою стены. При этом уже говорили: «привет», «а мне западло», «послал бы тебя» и «Европа».

Жители сталинской постройки отнеслись к усатым и кудлатым чужим паренькам с почти материнскою заботой.

Есть определенная душевная странность в русском народе: с одной стороны, привык русский человек очень ругать иностранцев и обзывать их, например, совсем некрасивыми словами, вроде «черножопые» или «косоглазые», но, с другой стороны, есть и какая-то сентиментальная, до странной слезливости даже, внезапная к ним расположенность, как будто вот хочется вдруг обогреть, к груди своей щедрой прижать паренька, хоть он «черножопый», хоть он «косоглазый». Загадочны мы и весьма необычны.

Наблюдательная бабушка Переслени сразу заметила, что с появлением во дворе черноусых и чернобородых рабочих ее драгоценная внученька стала какой-то развязной и нервной при этом. Откуда же было понять ей, что Вера, худой, золотоволосый подросток, вообще на них не обратила внимания? Ее-то ведь мучило только одно: *он* что, разлюбил меня? *Он* разлюбил? Когда одичавшая взрослая женщина, уже и лицо подтянувшая дважды, поскольку оно начинало сползать, воскликнет, поднявши глаза к облакам:

«Как так — разлюбил?» — ее можно понять. Прошла золотая пора, хризантемы в саду отцвели, и акация тоже. Но девочка в самом рассвете своей едва распустившейся женственной силы должна бы у мамы спросить и у бабушки совета в таком деликатном вопросе. И мама, а также и бабушка Вере должны были бы объяснить, что учитель, во-первых, не пара ей, а во-вторых, забудь поскорее, что он там болтал, бессовестный и безответственный, надо его посадить за решетку, и все, а ты еще, дурочка, уши развесила! А если он вновь к тебе сам подойдет, то я тогда сразу в милицию, слышишь?

Поэтому Вера молчала как рыба, и молча терзалась, и плакала только, когда была дома одна или ночью. Лариса Генриховна кружилась, вертелась, сама хуже девочки, сдергивала и надевала на указательный палец левой руки серебряное кольцо с массивным желто-черным балтийским янтарем, что говорило о том, что она находится на пределе сил, но сдаться не может и будет бороться. Да, мама кружилась, вертелась, дрожала вокруг центра маминой слабой вселенной — мужчины, отца ее дочери Веры, который ничем не участвовал в дочери, вернее сказать, в воспитании дочери, а только мог ей передать свои гены, которые лучше держать при себе.

С бабушкой было еще неуютнее, чем с мамой, именно потому, что бабушка никуда не отлучалась. Насколько мама была рассеянна и далека, настолько близка и сосредоточенна была бабушка. Временами она так въедливо смотрела на Веру, как будто хотела залезть ей под кожу. Но Вера крепилась. В самом начале осени, когда этот ни на кого не похожий Бородин вдруг так изменил ее жизнь, что скрыть эти перемены было невозможно, и случалось, что Веру охватывали и восторг, и страх, и отвращение ко всем, особенно к мужчинам, и дикая нежность к родным, и желанье сейчас же, сию же минуту увидеть его, а потом умереть, и пусть он придет на могилу с цветами, и пусть все увидят, как он будет плакать, и ляжет на землю, и будет смотреть часами на памятник, где фотография (а взять лучше ту, где она в красном платье!) — когда это все подступало, и бабушка, с испугом прислушиваясь к бормотанью и шепоту вместе с русалочьим смехом, стояла под дверью, не зная, что думать, то разве могла она хоть на минуту расслабиться и задремать над вязаньем? Конечно же нет, не могла, не дождетесь.

Спросила:

— Над кем ты, Веруся, смеешься?

На что ей Веруся никак не ответила.

А вскоре такие дела наступили, что бабушка выпила всю валерьянку, и валокордин, и пустырник, и ношпу. Теперь Вера не улыбалась, а молча как будто бы вся уходила под лед, и темно-зеленая с черным вода, живущая там, подо льдом, становилась уже не водою, скользящей и сильной, а твердым, как кость, продолжением льда. И так с каждым днем: глубже, глубже и глубже. Врастала в себя, все в себя, все в себя. Она застывала.

И бабушка, женщина властная, сильная, во всем, как всегда, обвиняла Ларису:

— Но как же? Ведь люди живут и без *этого*! Ты правда не можешь? — и хмурила брови.

— Без *этого* я не могу, — отвечала ее эта блудная, бедная дочь.

Представить себе, что и Вера идет по шатким следам материнским, равнялось тому, чтобы взять и поджечь свой собственный фартук, а с фартуком — волосы. Возникнет боль адская и нестерпимая. Поэтому бабушка не обобщала и насмерть боялась любых обобщений. Зато она к слову сказала Ларисе, что Вера, похоже, больна, как отец. Такие же вот настроения мрачные, депрессия, слабость, и нужно лечить.

— Когда ты заметила? — дочь побелела.

— Да месяца два уже, если не три, — ответила мать.

В институте имени Бурденко у миловидной, хотя и замученной жизнью с Марком Переслени Ларисы Генриховны работал друг ее детства и юности профессор Аксаков, Иван Ипполитович, когда-то давно проживавший с ней рядом, в соседней квартире. Их роман, полный огромных букетов сирени и крохотных букетиков ландышей, которыми десятиклассник Ваня Аксаков забрасывал Лару Поспелову, продолжался всего один месяц, когда во всю силу цветет и сияет

сирень, кружа головы и Подмосковью, и даже
чванливой столице, но ландыши ей не уступают
в своей популярности. Ваня Аксаков обломал сирень со всех дачных участков Загорянки, где он
готовился к выпускным экзаменам. С Ларисой,
заваленной этой сиренью, они целовались под
запах ее, как люди целуются только под музыку.
Дальше поцелуев дело не пошло, поскольку (сказала же я!) шли экзамены, и Лара готовилась на
философский, а Ваня большими шагами спешил
в объятья родной медицины, отставшей слегка
от прогнившего Запада. Любовь их завяла, увы,
оттого, что хитрый и наглый юнец Переслени
заметил Ларису на Чистых прудах. Наставшее
утро застало их вместе, уже, разумеется, не на
прудах, а на Воробьевых горах, где бывает, что и
удается приткнуться в кусты и там провести свою
первую ночку. Веселый невыспавшийся Переслени пел прямо с колен бывшей девушки Лары,
поскольку лежала его голова как раз на коленях
ее в это утро.

> Я встретил девушку,
> Па-а-а-лумесяцем бровь,
> На щечке-е-е родинка,
> А в глазах лю-ю-ю-бовь...[1]

И Лара смеялась и плакала горько. От счастья
ведь плачут, не только смеются.

---

[1] Песня Р. Бейбутова на слова М. Турсун-Заде (*пер.
Г. Регистана*).

Ваня Аксаков, в прилипших к его потной спине лиловых соцветьях — сирень осыпалась, — звонил и звонил, а Ларочка не подходила. Тогда он, все с той же сиренью в руках, и в тех же ее лепестках на спине, и с запахом той же сирени под мышками, примчался к ней в город.

Вот говорят: детские травмы, детские травмы. Все в мире, включая и взрывы, и бомбы, и их испытания на побережьях, — все только от этих ребяческих травм. А я возражаю: неправда! Вернее — неполная правда, не вся. Пускай ты уже не в пеленках, горячих от свежей твоей, родниковой мочи, пускай тебе даже не три, не четыре, а все восемнадцать — и что? Разве легче? Напротив — ты хуже ребенка, слабее, и травма твоя может так повернуться, что жизни не хватит, чтоб справиться с нею.

Именно такая травма, определившая судьбу будущего профессора и заведующего кафедрой нейрофизиологии и знаменитого во всем мире ученого, ждала Ивана Ипполитовича Аксакова в момент, когда Лара Поспелова, с распущенными и переброшенными на правое плечо ярко-золотистыми волосами, порывисто открыла ему дверь. Она открыла ему дверь, и он сразу увидел, что это не она. К такой, какою она была сейчас, когда стояла перед ним, наматывая палец на одну из своих отбившихся ото всех остальных волос прядей и словно бы вся задохнувшись от бега, к такой незнакомой и невероятной, такой ослепительной Ларе Поспеловой Аксаков Иван не имел отношения.

— Ах, Ванечка! Ты! — прошептала она.

Она прошептала, как будто и не было ни этой сирени, ни ландышей белых, ни их поцелуев, ни их разговоров, ни даже того, что и мама Ивана, сама педиатр, к тому же известный, всегда говорила, что Лара Поспелова родит ей когда-нибудь внука и внучку. И мама (к моменту тому, значит, бабушка) начнет и лечить этих пухленьких деток от разных болезней.

Она так сказала, и он отступил. И он — о, бедняга! — случайно взглянул ей прямо на грудь под цветастым халатиком. И сразу почувствовал, что эта грудь была нынче ночью в каких-то ладонях. И кто-то ее и сжимал, и давил, кусал ей соски и дышал своим ртом в ее лучезарную плоть. Лучезарную! Поскольку он, Ваня, не смея коснуться и пальцем груди ее, только однажды увидел, насколько она лучезарна. Случайно, невинно и непреднамеренно. Лариса снимала свой мокрый купальник, стояла спиной за кустом и немного склонилась налево, сдирая с плеча бретельку какую-то. Он и увидел. И был ослеплен, ошарашен, раздавлен. Сверкнуло в кустах что-то, словно крыло недавно рожденного ангела, словно стыдливая лилия из тростников, короче, сверкнуло какое-то чудо.

— Ванечка, — быстро и нежно, как ребенку, сказала она, — мы больше не можем встречаться.

— Не можем? — спросил он разорванным, жалобным голосом.

— Не можем, — ответила твердо Лариса. — Я, Ваня, люблю одного человека.

Он бросил сирень на порог и ушел. Потом была свадьба. Он видел, как Лару жених ее вынес, всю в белом, воздушном, и так, на руках, нес до самой машины. А Ваня стоял и смотрел из окна.

Никто, даю вам слово, ни одна живая душа не подозревала, что почти сорокалетний, очень породистой внешности профессор Иван Ипполитович Аксаков не полюбил после этого ни одной женщины или девицы. А все потому, что была эта травма. Она его как пополам разрубила: была жизнь *до* Лариной свадьбы и *после*. Иван Ипполитович избегал женщин, но, будучи умным и дипломатичным человеком, не давал им возможности уличить себя в этом. Он просто дружил с ними так, как с другими. В конце концов, есть ведь мужчины, собаки, старухи и птицы, не только ведь женщины. Работа поглощала его целиком, и действительно то, что Иван Ипполитович открыл в очень запутанной и туманной области нейрофизиологии, не подается никакому, даже и самому благодарному перу. При этом случались, конечно, и связи. Из области чистой и грубой телесности. Сходился без всяких букетов, подарков, без слов и без дрожи. Сходился и брал. Но только в том случае, если знал точно, что дело не пахнет любовью и нежностью. Потом забывал, как ножом отрезало.

Первые годы учебы во Втором медицинском он старался как можно меньше сталкиваться с Ларисой Поспеловой, которая так и не стала философом, потому что у нее времени не хватило поступить на этот слишком серьезный и не нужный простой девушке факультет. Да и сама Лариса не стремилась поддерживать отношения с прежним возлюбленным, поскольку вся жизнь ее в браке была несчастливой, загубленной жизнью, и Ванечка все это знал. На то была мама его, педиатр, которая, с грустью взирая на сына, дружила с суровою Линой Борисовной. А Лина Борисовна не собиралась скрывать от всего человечества правду о зяте своем, драматурге, мерзавце.

После окончания аспирантуры и двухгодичной стажировки в Лондоне блестяще образованный, с аккуратной бородкой вокруг доброжелательного лица Иван Аксаков купил себе квартиру на Плющихе, а маму (старушку уже!), педиатра, оставил жить здесь, на «Спортивной».

Во вторник утром шестого, если не ошибаюсь, марта Лариса позвонила Ивану Ипполитовичу (и он побледнел, чуть не выронил трубку), сказала, что им нужно встретиться. И встретиться срочно, по важному делу. Касается Верочки, Лариной дочери. Иван Ипполитович сглотнул соленый ком, немедленно образовавшийся в том месте под кожей, где нежные кудри бородки редеют и сразу видны даже мелкие пятнышки, сказал, что готов хоть сегодня, хоть даже сейчас, ну, минут через двадцать.

Через полчаса они встретились в ресторане «Колесо времени», чудесно расположенном в Орликовом переулке. Иван Ипполитович подъехал на своем «Мерседесе», а Лариса Генриховна на такси, так что она даже опередила его, поскольку таксист был лихим, а Аксаков — весьма осторожным, спокойным водителем. Ничем не выдал Иван Ипполитович своего волнения, когда приблизился к Ларисе Генриховне и ласково улыбнулся ей, и только когда Лариса Генриховна, подтянувшись на красных лакированных каблучках своих невысоких сапог, поцеловала друга детства в щеку, он крепко зажмурился, словно боялся заплакать.

Грош мне была бы цена, если бы я не воспользовалась случаем и не сказала несколько слов об этом ресторане. Я там не была и, быть может, не буду, но сердце мое говорит, что в старинном, засыпанном снегом, с дворами, в которых качели скрипели от холода, месте не станут кормить всякой дрянью. Возьмите хоть вот «Композицию Сырную». Там этих сыров сразу пять: камамбер, гауда, грюе, чеддер желтый и белый. А может, еще что, всего не упомнишь. А папарделле из лосося? Да чудо! Бекон, запеченный в орехах кешью? А чай из брусники и собственной мяты? Капустный пирог? Но, главное, там было тихо, спокойно. Никто не горланил, не пел, не плясал. И официант был любезен, улыбчив, причесан красиво: с пробором, который его небольшую и славную голову делил на два черных, слегка маслянистых и пахнущих нежным шампунем куска.

— Лариса, тебе здесь удобно? — спросил и откашлялся мягко друг детства. — А то пересядем поближе к окну.

— Нет, Ваня, мне здесь хорошо, — сказала она. — Я здесь не была никогда. Так уютно.

— И кормят отлично. У них запеканки такие, Лариса, что... Да не одни запеканки. Ты кофе?

— Я — да, Ваня, кофе.

— А я буду чай. А что будем есть?

— Ты, Ванечка, знаешь, я есть не хочу. Кусок просто в горло не лезет.

— Лариса! — И он положил свою крепкую руку на правую кисть ее нежной руки, закрыв обручальное сальное золото. — Я знаю, тебе нелегко. Но ты все же, Лариса, взгляни на меню. Например...

И вновь он не выдержал: крепко зажмурился, поймав ее взгляд.

— Да мне все равно, — прошептала она. — Возьми сам, что хочешь.

Официант с косым пробором терпеливо ждал, пока Иван Ипполитович, покашливая и недоуменно приподнимая брови, заказал камчатского краба, запеченного в филадельфийском сыре, салат с желтой свеклой, опят подмосковных с телятиной свежей и белых грибов с той же свежей телятиной, но с фирменным соусом. Чай, кофе уже принесли.

— Я слушаю, Лара, — сказал ей Аксаков.

Лариса Генриховна сразу заплакала, и ее ненакрашенные, карие с голубизной глаза, красивее которых Иван Ипполитович, объездивший мир, ничего не встречал, совсем стали мокрыми.

— Ваня, ты ведь в курсе, что Верочкин отец... Что он, так сказать, человек непростой... И врач его даже сказал мне, что он... Ну, он с отклонениями... Вот. Органическими.

— Я знаю, — вздохнул знаменитый профессор и горько сглотнул под бородкой слюну. — Не трать лишних слов, не терзай себя, Лара.

— Она росла легким спокойным ребенком. Я не смогла уделить ей много внимания, Ваня. Мой грех, разумеется, так получилось. Но мама и папа, да, папа особенно, они, Ваня, сделали все, что могли... И вот мы заметили с мамой сейчас... Она стала просто другой! Совершенно.

— Симптомы? — спросил он, слегка побледнев.

Она перестала смеяться.

Не хочет ни с кем ни о чем говорить. Вот в школу вставать... Мама будит ее, а она говорит: «Не пойду я, отстань!» И что можно сделать? Сидит целый день, ест один шоколад. Теперь стала краситься. А для кого? Накрасится и снова дома сидит.

— Какой-нибудь мальчик? Сосед, может быть?

И оба они покраснели и сникли.

— Да нет там соседа, — шепнула она. — Там турки с болгарами. Лестницу красят.

На вилке Ивана Ипполитовича мелко задрожал подмосковный опенок.

— Лариса, я врач. И я должен сказать, что все эти, Лара, психологи, эти... Весь этот их психоанализ проклятый — одно шарлатанство! Одно! Ты поверь. Вот парня вчера привезли из Читы. Простой совсем парень, баранку крутил. Авария. Бац! Еле выжил. Но выжил. И начал творить чудеса. Увидел на улице стаю волков. Места-то ведь дикие, ссыльные земли, а волки голодные. И говорит: «Взмахнул я рукой, а они-то попятились. Взмахнул я опять, а они побежали». К тому же предметы глазищами двигает. Посмотрит на чашку, а та — вжжик! — поехала!

— Ты, Ванечка, шутишь? — спросила Лариса

— Какое там «шутишь»! Я рад бы шутить! Схватили, ко мне привезли. «Чудеса! Профессор Аксаков, вы только подумайте! Ведь это весь мир взбудоражит!» Смотрю. Обычный верзила. Ни «бе» и ни «ме». «Ну что?» — говорю. «Ничего. Христа часто вижу». — «Где видишь?» — «Везде. Вчера в гастрономе, вон, видел». — «Христа?» «А то! — говорит. — Ясно дело: Его». — «И что Он там делал?» — «Что-что? Ничего! Он в кассу платил». — «Ну, давай, — говорю, — подвигай мне что-нибудь». — «Что?» — говорит. — Что можешь?» — «Да все я могу. Хошь тебя». — «Ну, двигай». Стоит. Красный стал, как арбуз. Глаза побелели. Старался-старался. «Он не в настроении! Очень устал! Москва на него как-то действует плохо!» Ну, это коллеги мои. Им ведь что? Сенсацию бы и народу побольше! Проверили мозг: там одни очаги. Короче, больной человек, шизофреник.

— При чем же здесь Вера?

— Она ни при чем! Я только к тому тебя хотел подвести, — Иван Ипполитович мягко закашлял, — что нужно сначала проверить ей мозг. Сделать эхоэнцефалограмму. Не больно, не трудно. Но по крайней мере можно будет исключить самое неприятное, то есть, Лара, органические изменения ткани, которые, я уверен, к сожалению, присутствуют в тканях твоего... — запнулся и вздрогнул, — отца ее, Верочки.

Белая, как скатерть на ресторанном столике, любимая женщина, ради которой Иван Ипполитович готов был песок целовать при условии, что там отпечаток, на этом песке, ноги ее или хотя бы, краснее, чем кровь, каблучка, любимая женщина грустно молчала.

— Ларочка, — профессор зажмурился, — если бы ты тогда...

— Что «если бы», Ваня?

— Да нет, ничего. Нужно просто обследовать. Все сделаю сам. Безболезненно, быстро. Тогда и решим.

— Хорошо, — она, не сдержавшись, заплакала. — Ваня...

На том разговор их закончился. Официант с косым пробором, удивленно получивший на чай втрое больше положенного, убрал совершенно нетронутое блюдо с телятиной свежей под фирменным соусом, а также и блюдо с опятами.

«Ишь ты! — подумал он бегло. — С морды голодные!»

На следующее утро Лариса Генриховна с дочерью Верой, глаза которой были уже не серебристыми, а черными от злобы и в груди, на том месте, где положено быть чистому и деликатному девичьему сердцу, пылал жаркий уголь все по той же причине, пришли на обследование. Иван Ипполитович, перед которым все расступались, пока он дошел от своего кабинета до приемной, полной пациентов с выкатившимися от изменений в мозговой ткани глазами, с тиками, от которых тела непроизвольно содрогались, с вывернутыми шеями и другими серьезными признаками поразившего их заболевания, поморщился с явной досадой, увидев, что Лара и дочь ее Вера находятся в этой печальной приемной.

— Да как же! Просил ведь: ведите ко мне! Давно вы тут ждете?

— Нет, только пришли.

Лариса смотрела испуганно, а Вера, напротив, с презрительным гневом. Иван Ипполитович хотел было погладить ребенка по голове, но вся голова была в мелких кудрях, покрытых каким-то составом и жестких, а взгляд, полоснувший его по лицу, отнюдь не был детским, приветливым взглядом.

В комнате белокурая медсестра, похожая на голубицу и носом, слегка розоватым, и голосом клекотным, тотчас усадила ее на кушетку и сам Иван Ипполитович, осторожно высвобождая участки кожи между налакированными и мелко завитыми волосами, опутал всю голову Веры железками, которые он проложил снизу ватой, как делают это под елкой с подарками. Он возился над нею и сопел от напряжения и страха сделать ей больно, а она смотрела на его белый халат, на пуговицы, на ниточку, повисшую с воротника, и думала: «Что, если взять и вскочить? Погонится он за ней следом? Конечно. Ведь он же, бедняга, влюблен в ее маму». Она ненавидела всех: и его, и с розовым носом его медсестру, и маму, и бабушку Лину Борисовну. Но больше всего было злобы и ярости в том месте, где прежде сгущалась любовь. Там был Бородин. Ах, не надо про дочку! Болеют и дочки, и внучки болеют! Ведь не умерла же она? Нет, жива. Тогда почему он не смотрит в глаза? За что он ее избегает? И разве она виновата, что дочка болеет?

Ну, пусть избегает, — она поняла бы. Но если бы он хоть бледнел или таял! Была бы надежда, что он что-то чувствует. Но он равнодушен был, хуже моллюска. Он стал незначительной серою частью всего безразличного серого мира и слился с ним так же, как мелкий моллюск сливается с серой морскою водою. А кто же стоял тогда на остановке? Смотрел голубыми своими глазами? Чей рот был тогда пересохшим, бескровным?

И кто ей сказал: «Я женюсь на тебе. У нас будут дети». Не он, да? А кто?

Иван Ипполитович, профессор медицины, между тем закончил свой труд и оглядел горбатую, рогатую и колючую Верину голову с таким наслаждением, словно бы это была не головка красавицы школьницы, а зверя, которого кто-то поймал и он теперь жизнь отдает за науку.

— И сколько же мне так ходить, дядя Ваня? — спросила она хладнокровно и кротко.

— До пятницы, — быстро сказал он. — До пятницы.

— Всего-то? — она улыбнулась. — Всего-то?

Усадив их в такси и заметив, что шофер с опаской посмотрел на бледное женственное и злое существо с забинтованной башней на месте головного убора, Иван Ипполитович сунул ему четыре бумажки, и шофер, глаза у которого сразу же стали спокойно-безразличными, умчал его радость, любовь целой жизни, с ребенком, которого он изуродовал. Хотя не надолго, всего лишь до пятницы.

Поддерживая Веру за локоть, Лариса Генриховна вышла из лифта, и тут же они столкнулись с молодым строителем.

Молодого рабочего звали Исламом, родом он был из Турции, и Вера, московская девушка в кофточке белой, давно приглянулась ему, еще осенью. Сейчас, увидев, насколько сильно она изменилась, молодой Ислам не вскрикнул от удивления, и не крякнул, и не ойкнул, как это сделал бы любой интернациональный рабочий на его месте, а, почтительно прижавшись спиной к только что выкрашенной стенке, пропустил их к двери и взглянул прямо в ее опущенные глаза с таким выражением, которое давало понять, что произошедшая в Верином облике перемена не будет влиять на растущее чувство. Вечером он положил на коврик перед квартирой небольшой букет в целлофановой обертке и на открытке, приложенной к нему, написал яркими буквами: «Спасибо!» Согласитесь, что далеко не всякому молодому человеку, хотя и не богатому, но приятной черноволосой наружности иностранцу, выросшему в одной из горных деревушек Анатолии, пришло бы вдруг в голову благодарить чужую семью неизвестно за что. А этот поблагодарил.

Итак: положил он букет и ушел. Через два часа Лина Борисовна высунулась из квартиры, чтобы забрать почту, и тут же наступила жилистой ногой своей на звонко щелкнувший целлофан. Брезгливо высвободив ногу и нервно понюхав цветочки, Лина Борисовна задумалась. Она, конечно, сразу же поняла, что зять Переслени, опять оскорбив чем-то Лару, пытается к ней подлизаться как может, поэтому и преподносит букетец. В таком случае нельзя, чтобы жалкое это подношение увидела дочь. В то же время нельзя было и выбросить цветочки в мусорный бак, поскольку он должен был Ларе сказать, что был, и принес, и страдал, и так далее. Тогда Лара сразу поймет, что к чему, начнет бурно плакать, кричать, чертыхаться, и, главное, вспыхнет опять эта просьба оставить ее вместе с мужем в покое. Воровато оглянувшись, Лина Борисовна, не притрагиваясь к растениям ни одним пальцем, все тою же жилистой крепкой ногой передвинула цветы так, что они оказались лежащими между двумя ковриками: их, чистеньким и аккуратным, и грязным, совсем уж негодным ковром педиаторши. Лежит и лежит: чей букетик, не знаем. Педиаторша, мать Ивана Ипполитовича, отличаясь большим самомнением, должна будет сразу подумать, что это — подарок и знак благодарности ей за чье-то спасенное детство. А чье и когда — совершенно неважно: «Спасала, спасаю и буду спасать. За этим и клятву дала Гиппократу».

Прошло полчаса, и открылась дверь лифта.

Иван Ипполитович раньше обычного покинул свой кабинет, где пахло всегда свежим кофе и елью, поскольку его секретарша старалась, чтобы кабинет был уютным, домашним: варила ему свежий кофе, пекла какие-то темные сладкие коржики, а ель для того, чтобы пахло как дома, всегда приносила и ставила в банку. Не целую ель, разумеется, ветку. Сама была тоже совсем недурна, мечтала бы стать ему не секретаршей, и жизни своей не жалела, пытаясь достичь этой цели, вполне всем понятной.

Иван Ипполитович отменил совещание и поехал к матери на «Спортивную», извиняя свой сумасбродный поступок тем, что давно не навещал родительницу. На самом же деле — для Лары, конечно. Душа его ныла.

На землю спустились холодные сумерки, такие зловещие и беспокойные, как это бывает в конце декабря, когда колкий снег, вдруг посыпавший ночью, слегка забелил купола и растаял, но тот, кто заметил его белизну, был сам тоже странно печален и бледен. Иван Ипполитович ехал, по своему обыкновению, очень осторожно, но думал о чем-то таком, что могло бы — не будь он таким осторожным водителем — закончиться очень тяжелой аварией. Он думал о скудности всякой науки, поскольку вчера, вон, открыли одно, а завтра, глядишь, и другое откроют, и это другое, какое откроют, поставит немедленно то, что открыли вчера или позавчера, под сомнение. Проезжая мимо Новодевичьего, он вдруг вспомнил, как друг его юности Коля Семенов, веселый, красивый, бесхитростный парень, в двадцать шесть лет заболел очень странной болезнью, от которой у человека постепенно отказывают все мышцы и тело становится вялым, как тесто, а Ваня Аксаков, серьезный ученый, лечил всем, чем можно, несчастного Колю, боролся за Колину жизнь, и как Коля, сначала хрипевший: «Спаси!», постепенно просить перестал, отстранился, весь сжался, и вместе с тем, как изменялось все тело, он сам изменялся душевно и сам как будто сдавал это грешное тело, как пьяница утром сдает с облегченьем пустую бутылку из-под «Солнцедара».

Иван Ипполитович твердо держался за руль, губы его были крепко сжаты, а брови нахмурены, но что-то так сильно и грубо дрожало внутри его нёба и горла, как будто пыталось сломить его волю и, может быть, даже заставить расплакаться. Он вспомнил сон, увиденный за несколько часов до Колиной смерти. Во сне был большой серый кот, с которого сбрили всю шерсть и собирались усыпить. Иван Ипполитович решил вмешаться, спасти несчастное существо и даже придумал отдать его маме, хотя его мама была равнодушна к животным и птицам, служа только людям. Нужно было внести деньги за спасение кота, а денег не было, и, как это часто бывает в ночных кошмарах, Иван Ипполитович долго метался по пустым улицам в поисках нужной суммы, пока не наткнулся на Колю, здорового, крепкого и молодого, одетого даже с каким-то молодечеством. Оказалось, что Коля давно уже поправился без всякой медицинской помощи и теперь, весело улыбаясь, сообщил приятелю, что поставленный им диагноз был ошибкой. А через несколько часов — Иван Ипполитович запомнил, что утро было дождливым и холодным, вставать не хотелось, — он стоял над кроватью умершего

Коли, из груди которого только что вырвалось последнее тихое дыхание, и следил, как меняется его быстро светлеющее лицо. Страх, бывший на нем, весь исчез, и в конце концов оно стало похожим или показалось Аксакову похожим на то, какое он ночью увидел во сне. Вот именно в эту минуту к нему и закралось сомнение в сердце. Иван Ипполитович почувствовал, что если и знать, почему и зачем трепещет последний невидимый атом внутри человека, никто никогда из нас не разгадает, откуда вдруг взялся — спокойный и чистый — на Колином мертвом лице этот свет.

С тех пор прошло много лет и, разумеется, все это потускнело, почти стерлось, но вот почему-то вернулось опять и начало жадно скрестись в его память, как в спальню хозяев скребутся собаки.

Перед дверью его бывшей квартиры лежал небольшой, но со вкусом составленный букетик подмерзших цветов. Иван Ипполитович взял его в руки, увидел открытку с одним только словом: «Спасибо!» Он понял, что это букет от Ларисы, поскольку она благодарна за помощь. Ему не пришло в голову, что Лариса ведь не могла знать, что он уйдет с работы пораньше и пожалует сюда, на «Спортивную», чтобы повидаться с матерью. Она его благодарила, но, кстати, и благодарить его не за что было: ребенок ее оказался здоровым, а грусть в этом возрасте неизлечима.

ГЛАВА V

Через три дня освободившаяся от колючек и проводов Вера столкнулась с выходившим из учительской Андреем Андреичем Бородиным. Она опустила глаза и хотела проскользнуть мимо, но он удержал ее за руку.

— Я дочку сегодня привез из больницы, — сказал он.

— Я вас поздравляю, — прошептала она.

— Ее почти чудом спасли, — он продолжил.

Она покраснела, пожала плечами. Он не отпускал ее руку.

— Свободна ты после уроков? — спросил он.

— Свободна.

— Тогда подожди меня здесь.

— Нет, лучше не здесь.

— Где тогда?

— У театра.

Она наклонила свою голову, на которой сегодня вместо вздыбленных и жестких кудрей поблескивали мелкие, составленные из завитков косички. Бородин почувствовал, как к горлу его подступил ком и он не может произнести ни слова. Почти полтора месяца он не приближался к ней, не слышал ее хрипловатого голоса, но главное, запаха тонкого этого, который похож был на запах смородины, не чувствовал и тосковал по нему.

Он понимал, что все это можно еще остановить. Нельзя бежать после уроков к театру по той причине, что от старшеклассницы Переслени пахнет смородиной, а когда она усмехается, серые глаза ее становятся длинными и прозрачными. Если каждый день повторять себе, что это наваждение, морок, что за девять лет брака он слишком привык к Елене, перестал замечать ее, а потому и не удержался от того, чтобы по-мужски, по-охотничьи не встрепенуться от слишком броской и слишком яркой школьницы Веры, и стоит ему захотеть, он тут же вернется обратно в свой дом, где чисто, спокойно, где в рот ему смотрят, и жизнь восстановится и, как река, которая побушевала и сникла, опять потечет, куда прежде текла. Лютая тоска охватывала его от одного только предположения, что он удержится и не побежит к театру. Бородин поминутно смотрел на часы. Ничего не существовало, кроме того, что через пару часов он увидит ее. Ничего не существовало, кроме запаха смородины. Так пот ее пахнет сквозь тонкую кофточку. А как тогда пахнет она? Она — вся?

Он опоминался. Была же ведь жизнь. Был дом, была дочка, жена. Молодая, с большим белым телом, с лицом Нефертити. Он был главным в доме, он повелевал. Внезапно все кончилось. Страшно, нелепо. Как будто куда-то везли лошадей, которых вчера отловили в степи, и лошади тихо, покорно стояли, блестели глазами, и вдруг весь состав на полном ходу рухнул в темный овраг, наполнив его диким ржаньем и хрипом. Вот так же их жизнь сорвалась — на ходу, сломала им спины: ему и Елене. Зачем он признался? Другой бы смолчал. Ведь время какое? Веселое время! Он сам молодой, тридцати еще нет. Ну, ел бы глазами, облизывал губы, кусал бы до крови свои заусенцы. А он вот признался, как будто Елена была не женою, а личным психологом. Он не рисковал. А вернее сказать: он думал, что с ней он ничем не рискует. Ошибся.

Васенька уже вовсю ходила сначала по квартире, потом стала гулять с бабушкой на Тверском бульваре. К Елене снова зачастили ученики, оставляли скромные беленькие конвертики с оплатой уроков. Бородин заметно посвежел и похудел, похож стал совсем на мальчишку. Больше они с Еленой ничего не обсуждали. Спали вместе, однако даже и во сне старались не соприкасаться плотью и, если он случайно, в той размазанной действительности, какую дарует нам сон, с размаху клал руку на грудь ей, Елена порывисто отодвигалась на край. Она его знала-то не понаслышке! Его безрассудство и даже жестокость во всем, что касалось физической страсти, его эту неутоленную чувственность, когда-то ее привязавшую намертво, забыть было трудно. Елена ждала. Иногда она наблюдала за ним во время обеда, когда он, скажем, задумывался и на лице его появлялось пьяное выражение, как будто он вовсе не с ними, с семьей, а в райском саду под кокосовой пальмой.

Ей приходилось по-прежнему сидеть в школьном вестибюле, ждать, пока у Васеньки закончатся уроки. Она надевала норковую шубу, которую отец перед самой своей смертью подарил матери на шестидесятилетие, но шуба была велика генеральше, Елена ее и носила, обматывалась платком, прятала заплаканные глаза под темными очками и усаживалась подальше от остальных — нянек, бабушек, мам, как правило, стильных, умело подкрашенных, боясь разговоров и жадных их взглядов. Она не сомневалась, что все они знают, какая беда их недавно постигла, и знают, что муж, Бородин, ей признался в любви к старшекласснице, и все они ждут не дождутся минуты, когда и наступит развязка. О Господи Боже! Откуда взять силы?

Мучаясь стыдом, она тем не менее внимательно рассматривала проходивших мимо учениц. И вдруг угадала *ее*. Конечно, вот эта — Андрюшина страсть. Такая сама кого хочешь утопит. Елена сидела на низкой скамейке, а Вера прошла совсем близко и даже едва не задела ее рюкзачком, который на длинном ремне волочился за нею по полу. Елена услышала запах духов, увидела с ужасом и отвращением все то, что давно углядел ее муж и чем он с болезненной мукой прельстился. На смуглой ребяческой шее чернели три крошечные родинки. Они были слева, над

73

самой ключицей. Еще была талия, тонкая очень, и волосы, гуще, чем у африканки, но яркого, желтого, сильного цвета. Надежда, последняя, слабая, робкая, что школьница вовсе не знает о чувствах учителя Бородина, надломилась: такая не только что знает, такая давно все взяла в свои руки, и дело уже не за ним, а за нею.

Васенька, веселая, окрепшая, с широко расставленными голубыми глазами, подбегала к матери, и Елена застегивала на ней куртку, надевала шапочку, крепко брала за руку (так крепко, что не было силы на свете, какая могла оторвать бы ребенка от этой руки!) и, пока они шли домой, а шли они долго, с болью перемалывала внутри себя всю эту красивую, гибкую Веру, все тело ее. Заталкивала Переслени в себя: глаза, руки, ноги и желтые волосы. Потом вдруг внутри начинали как будто крутить мясорубку, и Вера обратно шла горлом, как рвота. Глаза, руки, ноги и желтые волосы.

Елена уже знала, что мужа ее ждет позор, что все это станет известно вокруг и все отразится на жизни их дочки, поэтому нужно скорее решаться на полный разрыв, и отрезать его так, как от здорового, полного соком плода отрезают подгнившую часть. Каждый день она говорила себе, что сделать это нужно именно сегодня, но день проходил, а они продолжали жить вместе, и мать-генеральша, не зная того, что у них происходит, с опаской смотрела на очень худого, но странно счастливого зятя.

В три часа уроки наконец закончились. Они встретились у Вахтанговского театра и сразу же прислонились спинами к афише, на которой немолодая уже актриса Юлия Борисова закрывала веером свое умело сохранившееся лицо. Они прислонились к афише, словно их не держали ноги, и прижались друг к другу плечами. Прикосновение это даже и через пальто обоих как будто лишило рассудка. Они оба замерли и задохнулись.

— Люблю тебя, — тихо сказал Бородин. — А ты?

— Я тоже, — призналась она. — Вы не бойтесь. Чего вы боитесь?

— Чего? — и он поперхнулся. — Не знаешь чего?

Она затрясла головой.

— А если я к вам... Я сама к вам приду?

— Куда ты придешь? Я живу не один.

— Я знаю, — сказала она. — Что же делать?

— Наверное, ждать, — произнес он и, не выдержав, прижался горячим лицом к лицу Веры. — Давай подождем. Ты согласна?

— Я? Нет. — И Вера заплакала. — Я не согласна. Я так не могу.

— Послушай, но ты же еще...

Он запнулся.

— Я девочка, да? Ну и что?

— Как «и что»?

— Ведь я никому не скажу. А Джульетта... Ей было двенадцать!

Бородин схватил ее за руки, и они побежали в переулок, прыгая через лужи растаявшего снега. В гулкой и темной подворотне учитель английской литературы прижал к себе эту невинную школьницу и стал целовать ее в губы. Она отвечала ему, и дыханья их сразу смешались во тьме. Не обрывая поцелуя, Андрей Андреич расстегнул ее пальто, а куртку свою просто сбросил на землю, и только его очень тонкие джинсы и Верина узкая черная юбочка мешали их очень горячим телам, стремившимся стать навсегда одним телом.

Наконец он застонал и оторвался от нее. Лицо его было слегка сумасшедшим.

— Все, хватит! Я должен идти! Я пошел!

— Куда ты пошел? — продышала она ему в подбородок. — Я не отпущу.

Ни он, ни она не заметили, что Вера сказала учителю «ты». Весь мир, вся вселенная, все ее звери, и все существа, населившие землю, и рыбы в реке, и все птицы на небе, казалось, притихли и остановились. Никто не дышал. Все смотрели на них и ждали, что будет. И всем было страшно.

— Я не отпущу, — повторила она.

Поспешно сняла темно-красный свой обруч, и волосы, радостно освободившись, упали на плечи ей, как водопад.

Он взял эти волосы в обе ладони и ими закрыл все лицо.

— Куда ты пойдешь? Поцелуй меня лучше, — сказала она.

Они целовались внутри ее влажных и жестких кудрей, и когда Бородин их вдруг накрутил на кисть левой руки, а голову Веры откинул назад, прижался губами к горячему горлу, весь мир, вся вселенная, звери, и рыбы, и птицы в высоких больших небесах вздохнули, но тихо. Никто не услышал.

Две темные, как кладбищенские аллеи, но все еще жадные, злые старухи — одна в дряхлой шубе, другая в пальто, доставшемся ей от племянницы Кати, — шаркая своими узловатыми отекшими ногами, вошли в подворотню. Увидели парочку и завизжали. Визжали не весело и не азартно, а тускло, обидчиво и некрасиво, поскольку таким темным, жадным старухам визжать очень трудно: дыханья не хватит. Бородин отлепил свои губы от губ юной школьницы, увидел их лица в потертых беретах и грубо спросил:

— Вы чего здесь забыли?

— А мы вот милицию! Мы вот... Ишь, умник! И вдруг он сказал:

— Извините.

И тут же, взяв за руку Веру, пошел с нею прочь.

— Ты что? Испугался? — спросила она.

— А если они вдруг милицию вызовут? — И он опустил виноватую голову. — Прости меня, Вера. Мы правда не можем.

— Чего мы не можем? — вскричала она так сильно, что он даже вздрогнул. — Скажи мне!

— Не можем... Совсем. Ничего.

Они остановились посреди переулка. Солнце разорвало слабые весенние облака и вдруг осветило обоих, прожгло. Оно не по-мартовски, а по-июльски, с какою-то яростной страстною нежностью набросилось на их смущенные лица и начало быстро лизать их, подобно огромному тигру, которого взяли детенышем в цирк, и он полюбил дрессировщицу так, что даже и жизнь, свою хищную жизнь, отдаст за нее, а поэтому сразу, как цирк зажигает огни, этот тигр кладет ей горячие лапы на плечи и лижет сухое от пудры лицо. Вот так же и солнце с внезапной любовью, излишней, безудержной и безответной, набросилось на этих мелких людей, столь мелких, что их с высоты было трудно найти среди массы других, тоже мелких, но солнце нашло и не обращало на всех остальных никакого вниманья. Если бы в эту секунду девочка Вера Переслени и ее учитель разделись догола, им среди снега, едва только-только начавшего таять, и холодно не было бы, как в июле.

Они остановились и сразу вцепились руками друг другу в одежду. Волненье мешало им слышать, а шепот их был очень сбивчив и очень тревожен.

— Давай подождем... Подождем. И потом... Счастливее нас никого... И не будет....

— Не надо нам ждать! — возражала она. — Никто никогда ничего не узнает!

— Такое не скроешь! Пойми, не сердись. Ведь я же люблю тебя. Ты еще девочка...

Вера Переслени прижала к его рту обе ладони.

— А если бы я была женщиной, то...

— Тебе скоро будет пятнадцать. В семнадцать мы можем жениться. А может, и раньше. Мне нужно прочесть, что в законах написано. Я завтра прочту. Обещаю: прочту...

Она вспыхнула и бросилась бежать от него, как будто учитель обидел ее.

— Постой! Погоди! Ты куда?

Она даже не оглянулась.

Дорогой мой читатель! Если бы я, как другие, просто придумывала эту историю, я бы, конечно, сделала моего героя более азартным и даже, наверное, порочным без удержу. Тогда все, что я здесь пишу, окрасилось бы знаменитым Набоковым. И стало блестеть, как пылинка на солнце. А разве всего, что мы знаем о страсти, напишешь без жара? Увы, не напишешь. Я долго пыталась, но все выходила простая водица, в которой помыли лесную малину... Водица слегка только порозовела, а запаха этого: мокрых кустов и крохотных, полуслепых насекомых, забившихся в самую спелую мякоть, — увы, не прибавилось. Да, это так. Но все впереди. Если вам по душе не только вкус сладкой и спелой малины, но даже и вкус червяка, на заре заснувшего в ней, в этой огненно-красной, сочащейся ягоде, — вы этот вкус еще ощутите, но только попозже.

Многое изменилось в душе Бородина за это утро. Теперь, после жадных ее поцелуев, с него словно кожу содрали. И страх, как соломинка, — да, как соломинка, которую в пенной пучине морской, и в водовороте реки, и в болоте пытается тщетно поймать утопающий, — спасительный страх возвратился к нему. А может быть, тот же спасительный страх ему диктовал и признанья Елене? Мол, вот я признался, не скрыл ничего, а ты теперь и разбирайся, как хочешь.

Ночью Елена проснулась и рывком села на кровати. Луна с ее вечно притворным участьем сияла сквозь щели тяжелых гардин. Елена взглянула на мужа. Он спал. И спал обнаженным, темнея своею слегка оперенной широкою грудью, дыша так, как будто за ним кто-то гнался.

— Андрей! Да проснись же! Проснись, наконец!

Его нагота была ей ненавистна. А раньше? Да, раньше? Ведь летом, недавно, пока мама с Васенькой жили на даче, и город томился тяжелой жарой и был весь горячим и сладким, как улей, они раздевались, лежали вот здесь, на этих подушках, лаская друг друга, и их обручальные кольца стучали о спинку кровати в минуты любви.

— Хочу, чтобы ты нас оставил. Ушел, — сказала Елена. — Как можно скорее.

— Сейчас? — спросил он, даже не удивившись.

— Да, лучше сейчас. — И она задрожала. — Пока Вася спит. Уходи поскорей.

— А утром ты что скажешь Васе?

— Не знаю. И все-таки ты уходи.

— Ты права, — он встал, в простыню завернувшись. Стоял рядом с зеркалом, как привидение.

— Мы жить так не можем, — сказала она. — Ты даже не просто чужой. Ты как зомби. Откуда я знаю, на что ты способен?

— Да, да, ты права, — повторил он опять. — И лучше мне быть одному, это правда. Сейчас я уйду. Ты права, так нельзя.

— Ты любишь ее? — прошептала Елена.

— Я очень хочу ее, Лена. Ужасно, — ответил он тихо. — Я не виноват.

— А я не виню тебя. — Крупная дрожь трясла ее тело. — Ведь ты ненормальный. Мне мама всегда говорила, что ты... Короче, ты лучше быстрей собирайся, а то еще Вася проснется, не дай Бог.

— Я знаю, что ты права, Лена. Я ждал, что ты все это скажешь, я ждал.

— И правильно делал, — сказала Елена. — И ты не звони нам. Я не подойду.

Он побросал в рюкзак самые необходимые вещи, снял со стены фотографию седого, очень худощавого человека, про которого всегда говорил, что это его отец. И быстро ушел, даже не оглянувшись.

ГЛАВА VI

Молодой турецкий рабочий Ислам, все силы которого уходили на то, чтобы как можно быстрее и лучше привести в порядок старый, еще при Сталине построенный дом, с которого сыпалась краска и у которого часто отказывало отопление, так что пожилые жильцы иногда даже в своих собственных комнатах ходили в валенках с кожаными заплатами на пятках, — молодой и привлекательный рабочий Ислам весь истосковался в холодной Москве. Всегда человек ведь тоскует по дому. И он тосковал по своей деревушке, где хворост возили на серых ослах, а воду черпали из горной реки.

Вечерами Ислам старательно изучал русский язык и вскоре прочел «Дядю Степу». Не понял, в чем соль, но прочел очень быстро, во многих местах даже без словаря. Ему давно нравилась девушка Вера. Но только когда он увидел ее с железною башнею на голове, увидел глаза ее, мрачные, дерзкие, родная земля, в черных трещинах, скудная, где не было даже еще электричества, зато были горы, покрытые снегом, зато было небо, и в небе Аллах, — родная земля словно стукнула в сердце, и Вера, московская девушка Вера, вдруг стала близка ему, словно сестра. Но как объяснить, почему эта Вера с ее непристойно открытым лицом напомнила трудолюбивую Родину, какая же связь этой Веры с горами, покрытыми снегом, Ислам сам не знал. Он чувствовал только, что связь проходила сквозь самое сердце и там уплотнялась, и там покрывалась бутонами, даже давала побеги, как будто растение.

Ислам положил ей цветы на порог. Она поняла, что цветы от него. Должна была это понять, ведь родная. Он рано приходил на работу и все старался держаться поближе к их подъезду. Ему иногда очень крупно везло: она вылетала еще совсем сонная, с тоскою в своих серебристых глазах, без шапки всегда, даже в сильный мороз, и если шел снег, он ей падал на волосы, и каждая прядь начинала сиять. Она шла к троллейбусу, тонкая, резкая, с ресницами в легком, пушистом снегу, шла так, как идут люди только на порку — Ислам часто видел, как порют людей, — и он ее очень любил и жалел.

Придется сказать, что мусульманский юноша Ислам не был девственником, только не надо думать, что потеря невинности произошла в его родной деревне. Не думайте так, потому что деревня — ведь это же как материнское чрево, в котором ты волей Аллаха однажды и был зарожден, и развился, и вырос до нужных для жизни на свете размеров, и вытащен был, и омыт, и накормлен. И чистой должна быть и мать с ее чревом, и эта бадья, где впервые младенца омыли водою из горной реки.

Невинность Ислам потерял в европейском городе Брюсселе, где вместе со старшими братьями ремонтировал старые здания неподалеку от главной площади. Там же, на главной площади, работал по воскресеньям рынок, на который фермеры привозили свои яркие красивые овощи, и всякую пышную сочную зелень, и мед, и сыры, и хлеба, и однажды увидел Ислам там, за белым прилавком, румяную девушку, всю в кружевах. Не выдержав, он подошел. Прилавок был выстлан тончайшим, нежнейшим, что есть только в Бельгии, самым красивым, чем славится этот деньгами и биржей загаженный город, который давно бы засох, задохнулся от всяческих банков, и муниципальных контор, и присутствий, когда бы не эти его кружева, в чьих тонких узорах и запечатлелось во всей белизне их, во всей снежной хрупкости дыханье старинного кроткого времени, когда дрались просто, без боеголовок, когда не взрывались еще самолеты, и девки вдруг не превращались в парней, а парни, капризные, с пухлыми ртами, не требовали превращения в девок. Защиты от всей этой скверны в Брюсселе другой, кроме кружев, не существовало. Да, лишь кружева помогали народу, не только бельгийскому, но и голландскому, живущему с ним по соседству. Голландцы, скажу вам, не меньше брюссельцев нуждаются в помощи. Хотя там и розы, и много тюльпанов, и очень налаженное скотоводство, но скоро все это прокурят, бедняги, останутся грешницы в черном белье сидеть, освещенные красными лампами.

Наверное, строгий читатель не знает, чем могут помочь кружева населенью? А я вам отвечу: своей красотою. Ведь вот объяснил же когда-то писатель, что все мы спасемся одной красотою. Он, может, не о кружевах говорил, а вовсе о чем-то своем, карамазовском, но я знаю точно, что и в кружевах содержится часть мирового спасения.

Чистый и целомудренный мусульманский юноша никогда не подошел бы к европейской женщине, не окажись она тогда за прилавком с этими прекрасными изделиями. Он подошел и на своем ломаном французскои языке спросил ее, сколько стоит воротничок, который хотелось послать бы сестренке на свадьбу. Она улыбнулась тепло и молочно, сказала, что можно со скидкой, недорого. Ислам запылал своим смуглым лицом, поблагодарил и остался стоять. Ленивые сытые люди изредка подходили, трогали своими пухлыми пальцами накидки на подушки, детские рубашечки, нежнее, чем облако в небе, салфеточку, потом отходили. Открытые лица бессовестных женщин, которые даже платков не носили, не то что чаршаф или, скажем, чадру, Исламу казались гримасами дьявола.

Одна только эта ему приглянулась. Она была тоже вся как кружевная.

Ее звали Мартой. Через неделю он снова подошел к павильончику, купил-таки для Айшэнэ воротник. Пришьет в Рамадан на свое покрывало. Марта встретила сухощавого и легкого, как породистый конь, Ислама смущенно, но очень приветливо. Опять они поговорили немного, и Марта сказала, что скоро, наверное, уедет в Париж и будет в Париже работать на фабрике. Короче, они познакомились. Вечером, когда этот рынок закрылся, и площадь всю выскребли разными щетками, и красный закат в золотистых прожилках украсил собой небосвод, они еще долго гуляли по улицам. Она была родом из Брюгге. В конце концов, Брюгге — ведь тоже деревня, и это их сразу сроднило и сблизило. Она его и пригласила к себе. Сказала «на кофе». Он кофе любил. И даже, к стыду своему, он любил их эти румяные пышные вафли с малиной, клубникой и сбитыми сливками. И братья любили, хотя эти вафли недешево стоили.

Они пришли к ней, в ее комнату. Вся мебель была в кружевах. Так красиво! Слюна у Ислама вдруг стала на вкус, как будто он выпил воды из корыта, стоящего рядом с понурым ослом. И Марта его обняла очень нежно, ресницами защекотав его ухо. А он не ответил ей, словно был сделан из твердых, искристых и горных пород.

Она покраснела, но не отступила.

— Ты, бедный, устал, — прошептала она, — садись на диван, дорогой мой Ислам.

Он сел на диван, и она села рядом.

— Не нужно бояться, — сказала она.

Взяла розоватого цвета салфетку и нежно отерла Исламу лицо. А он все дрожал, как дрожит жеребенок, который минут только пять как родился.

— Я нравлюсь тебе? — прошептала она. — И вдруг расстегнула на кофточке молнию. — Ну? Нравлюсь? — И всем своим телом вздохнула.

Тогда он погладил рабочей рукою ее шелковистую шею. А Марта легла на диван и раздвинула ноги. Вот тут он и начал терять свою девственность. Теряя, кричал и потом еще долго не мог отдышаться. Представил, как будет стоять перед братьями:

— Простите меня, недостойного, братья!

Ему стало страшно, но Марта, веселая, с ее по-бельгийски открытым лицом, уже напевала на кухне, варила Исламу обещанный кофе.

Через две недели она уехала в Париж, а в самом конце лета молодой Ислам вернулся к себе в Анатолию. Но вскоре пришел человек из агентства, сказал, что нужны очень люди в России. И платят неплохо, хотя там и холодно. Ислам вмиг собрался, за пару часов.

После поцелуев с Бородиным в подворотне Вера Переслени пошла домой, чувствуя себя раздавленной и несчастной. Долго стояла перед дверью родной квартиры, безучастно прислушиваясь к резкому голосу поющей в одиночестве Лины Борисовны.

Ночь напролет солове-е-е-е-й
        нам насвисты-ы-ы-ы-вал!
А-а-а-а! А-а-а! А-а-а!
Белой чере-е-е-ему-хи гроздья ду-ши-стые
Ночь напроет нас сво-о-о-дили с ума-а-а![1]

Вера сердито постучала кулаком по обивке, но Лина Борисовна заливалась и не слышала. Тогда мрачная и кусающая губы школьница вывалила на пол все содержимое рюкзака, пытаясь найти ключ, и тут же дробные сильные шаги приковали к себе ее рассеянное внимание. Ислам не терпел узколобого лифта — взлетел к ней на пятый этаж, словно птица. Взлетев же, как вкопанный остановился. Вера заметила это и перестала кусать губы, напротив, слегка оттопырила их, поскольку вот так, оттопыривши губы, она становилась еще привлекательней.

— Привэт тэбэ, дэвушка, — выдохнул он, — пажаласта, нэ уходи.

— А что? Здесь стоять? — усмехнулась она.

Душа нарывала от горя, но в теле заложены были все эти инстинкты, которые и защищают

---

[1] Слова песни Михаила Матусовского.

нас, женщин, а всех остальных на земле укрощают.

— Не здесь же стоять, — повторила она. — Я ключ потеряла. Не знаю, что делать.

— Гулять тада нада, — сказал ей Ислам. — Ты, дэвушка, любишь гулять или нэт?

Она повела в удивлении плечами, но взгляд ее вспыхнул:

— Гулять так гулять!

Они спустились вниз по лестнице, не глядя друг на друга, и вышли на улицу. В эту же минуту поющая, как канарейка на воле, суровая бабушка Лина Борисовна потянулась к форточке, желая захлопнуть ее, ибо ветер, небесный и чистый, был все же холодным. Она потянулась, увидела внучку, которая, хлопнувши дверью подъезда, куда-то направилась вместе с мужчиной, а лучше сказать, с этим парнем турецким, который недавно покрасил все стены.

— Вера-а-а! — пронзительно крикнула Лина Борисовна. — Куда-а-а ты? Ве-е-ернись!

Вера задрала голову. Влюбленный Ислам с восхищеньем заметил, насколько прозрачным вдруг стало на солнце ее очень тонкое девичье горло.

— Ну что ты орешь! Все равно не вернусь! — сказала она, помахав ей ладонью. — Приду ночевать я, приду, не волнуйся!

И не обманула: пришла ночевать. Они ждали обе: и мама, и бабушка. И обе сидели на стульях, как куклы. Она посмотрела сухими глазами. Пошла сразу в ванную и затаилась.

— Лариса! — сказала вдруг Лина Борисовна. — Ведь ты Переслени не вылечишь! Хватит. Увы, медицина бессильна, Лариса. Светила — и те от него отказались. Мы сделали все, что могли. Мы пытались. Его пора бросить! Как тряпку. Да, тряпку.

Лариса Генриховна вздрогнула всем телом.

— Пора, Лара, время не ждет. Мы ведь Верку вдвоем не поднимем. Нет сил. Да и средств на то, чтобы Верку поднять, тоже нету. Тебе нужен сильный и добрый мужик. Тебе нужен, доченька, Ванька Аксаков.

— Зачем он мне нужен? — спросила Лариса.

— За тем же, за чем Переслени. Ты, Лара, похожа на драную кошку. Куда красота твоя делась? Не знаю. Наверное, твой вурдалак ее выпил. Один только Ванька и не замечает. Пока не прозрел, нужно брать за рога.

— О чем ты сейчас? — прошептала Лариса. — Какие рога? Речь идет о ребенке.

— Со мной? Ничего. Спать ужасно хочу, — ответила Вера. — Контрольная в школе была. А потом я гуляла.

— Что значит: гуляла? И с кем ты гуляла?

— Гуляла, и все. Мне ведь скоро пятнадцать. Сегодня какое? Ну, да: через пару недель. Справлять-то мы будем? Давайте у папы. Пусть он мне дубленку подарит, а то...

— Я знала, что ты вся в него! Вся в него! Теперь вы меня мучить будете оба!

— Кому ты нужна, мама, чтоб тебя мучить? — устало вздохнула строптивая Вера. — Ведь я говорю, что мне лучше уйти...

Потная и растрепанная Лина Борисовна, которая вот уже лет сорок пять учила, как жить, всех подруг и племянниц, соседок племянниц, подруг их соседок и даже четвертую злую жену племянника Коли, который все время менял своих женщин, — потная и растрепанная Лина Борисовна вдруг изо всей силы обхватила Веру худыми руками и намертво, так, что сама задохнулась, прижала к груди.

— Сказала тебе: не пущу! Хоть убей! В ногах твоих буду валяться, топчи! Растила тебя и ночей не спала! И что? И сейчас спать не буду! Вот сяду у двери, и ты не уйдешь! А то, что дедуля меня не любил, так чем ты меня удивила-то, чем? Я знаю, что он не любил, ну и что?

Читатель, конечно, уже догадался, что и Лина Борисовна, и Лариса Генриховна, и не достигшая еще пятнадцатилетнего возраста Вера Переслени принадлежали к той породе женщин, которые склонны к истерическому проявлению накопившихся в душе чувств. Им, этим женщинам, ничего не стоит взять и упасть на колени, например, или так схватить человека и сжать его в объятиях, что у этого человека потемнеет в глазах, или, скажем, положить целую жизнь на достижение какой-нибудь одной, совершенно, кстати, и не нужной цели. У Лины Борисовны все ее силы ушли на одно — скрыть постыдную правду. Не лучше ли было сказать: «Подруги мои дорогие! Племянницы! Ты, Коля! И Колина злая жена! Покойник нисколько меня не любил. И жили мы так же, как все вы живете: молчали неделями, злились, орали, потом затихали и снова орали».

Вздохнули в ответ бы седые подруги, и не было бы между ними секретов. А дочь ее Лара? Она разве лучше? Нисколько не лучше. Ведь даже учебы и то не закончила! Могла бы — как люди: работа, карьера, семья, муж старательный, дети, квартира. И в отпуск поехать на Рижское взморье, а можно и даже совсем не на Рижское, а просто другое какое-то взморье, и муж бы берег красоту ее облика, она бы сама к мужу тоже привыкла, — ну может, не сразу, а может, не слишком, но все-таки справилась бы с отвращеньем, давала себя бы обнять раз в неделю. Ан нет! Переслени! Один Переслени. А что Переслени, зачем Переслени?

Ушастый, губастый, да и драматург-то — увы! — никакой. «Отелло» ведь точно не он написал.

Мне больно — кладу свою руку на сердце — смотреть свысока на растерянных женщин, поэтому я и стараюсь всегда их всех приободрить в своих сочинениях. Вот я от природы — другой человек. Мне сколько раз тоже хотелось самой кого-нибудь сжать так, чтоб он не дышал, а лучше — схватить в переулке такси (конечно, гнедых бы намного шикарней, но где ж их взять теперь, этих гнедых?), схватить, значит, просто такси и помчаться сквозь снежную вьюгу, сквозь мглистую полночь... Влепить на ходу пару веских пощечин, потом разрыдаться, пугая шофера, при этом платочек, слезами и снегом пропитанный весь, закусить углом рта, и дырка останется в синем платочке. Красивая жизнь, настоящая жизнь.

Но я — ни за что! Никогда. Потому что во всем люблю меру и чувство приличия.

Теперь объясняю, что произошло, пока они ждали, а Вера «гуляла».

Лина Борисовна еще кричала в открытую форточку, и ветер пытался вернуть все слова обратно к ней в горло, а внучка ее уже покидала свой двор, и качели, которые помнили Верину тяжесть, когда ей всего было пять или шесть, и помнили деда, поджарого, статного, с усами и нежной, и грустной улыбкой, который раскачивал эти качели, — она покидала свой двор, не заметив, что каждый ее неуверенный шаг они повторяют отчаянным скрипом. Она уходила куда-то с мужчиной, совсем молодым, возбужденным и смуглым, и двор ее, полный сияющим снегом, который всегда так мучительно тает, как будто бы он — человек, пораженный какою-то неизлечимой болезнью, и горько терять свои силы и радость, свой холод веселый, свою белизну, — весь двор с ней прощался так, как он умел: и шумом, и скрипом, и писком воробышка, и тем, как горело закатное солнце на сахарно-твердой верхушке сугроба.

В общежитии, где жил Ислам, у него была своя очень маленькая комната, о чем он с гордостью сказал Вере, объяснив, что получилось это случайно: когда их интернациональную бригаду расселили по три человека, оказалось, что Ислама селить уже некуда, и тогда комендант приказал освободить для него бывшее подсобное помещение, покрасить его и поставить кровать.

По своей простоте и досадной деревенской необразованности Ислам не подумал спросить у Веры Переслени, сколько ей лет. И в тот момент, когда она входила в его комнату, сплошь украшенную небольшими домоткаными ковриками, с этажеркой, на которой, подобно обрывку облака, лежало подаренное услужливой Мартой брюссельское кружево, — в тот момент вспыльчивый Ислам думал только о том, что эта красивая русская девушка ему не откажет в любви. Нужно, однако, отдать должное благородству этого интернационального рабочего: как только они с Верой оказались за закрытой дверью и она принялась нервно снимать свои пестрые варежки и разматывать шарф, Ислам сообщил ей, что в прошлом году три русские женщины вышли за турок, — таких же, как он, — и ужасно довольны. Его не насторожило даже то, что Вера Переслени не смотрела ему в глаза и когда он начал раздевать ее, зажмурилась и задрожала, как птичка.

Ислам не любил целоваться и, кстати, не очень умел целоваться. В деревне они с Айшэнэ по утрам всегда целовали цыплят, и как только их губы касались пушка на головке, — горячей и потной цыплячьей головке, — так просто хотелось смеяться от счастья. И если сравнить губы грубые женщин с цыплячьим теплом, с новорожденным золотом, то женщина, даже красивая женщина, всегда проиграет тщедушному птенчику. А кстати, зачем их вообще целовать? Ведь только мешает всему остальному. И Марта, вся в белых своих кружевах, его не смогла приучить к поцелуям. Да времени не было на ерунду. Она торопилась в Париж, и быть может, в далеком Париже, во мраке бульвара, уже и целуется с крепким французом.

Ислам решил не целовать Переслени, а только слегка поласкав ее грудь, немедленно сделал из девочки женщину. И тут же покрылся весь потом, тяжелым, как веко у лошади: русская Вера не знала мужчин до него, до Ислама. Дрожа, он стоял перед нею, а Вера, по-прежнему даже не глядя в лицо, натягивала сапоги.

— Есть вата? — спросила она. — Или нет?

Ислам, растерявшись, дал целую пачку.

— Зачем мне так много? — спросила она.

Они помолчали.

— Ну, что? Я пойду? — она усмехнулась.

— Не дам уходить я. Хочу с тобой замуж, — сказал ей Ислам.

Она засмеялась:

— Да мне ведь пятнадцати нет! Ты чего?

Он вспомнил, что он ведь не дома, в деревне, а в этой холодной чужой стороне, где тоже, наверное, будут пороть, как порют ремнями у них, в Анатолии, а выпоров, сразу отвозят в тюрьму. Но если сидеть за решеткой, то лучше в родной Анатолии: сестра Айшэнэ тогда сможет прийти к нему на свидание и принести лепешек из тыквы, сушеного мяса. А здесь кто придет? Да никто не придет.

Ислам разрыдался.

— Ну вот! Теперь еще плачет, осел! Ты чего? — спросила сквозь зубы сердитая Вера. — Ислам, погоди! Да не плачь ты, Ислам! Ведь я никому ничего не скажу!

Ресницы Ислама тем временем слиплись и стали похожими на бахрому у новой, богатой и праздничной скатерти.

— Ты не сомневайся, — сказала она. — Я в жизни тебя не подставлю, Ислам.

— Клянись мне Аллахом! — потребовал он.

— Аллахом клянусь! — обещала она.

Чуткое сердце Ислама подсказывало ему, что клятвы одной недостаточно вовсе и лучше бы не рисковать, оставаясь внутри в основном православной земли, где могут и выпороть, и посадить, но к этому страху его примешалось томительно-жгучее воспоминанье о нежном, горячем ее, тонком теле, которое он ощутил как свое, горячее тоже и тоже худое, и он задавил в себе глупый испуг и, Веру к груди притянув, крепко-крепко, с таким наслаждением стал целовать ее безответные жесткие губы.

— Не надо, — сказала она и вздохнула. — Ведь ты ни при чем. Понимаешь, Ислам?

Он знал очень плохо родной ей язык, не понял, что значит «при чем», «ни при чем», но горечь ее глуховатого голоса ему объяснила, что девушка Вера имеет какую-то тайну, не станет делиться с Исламом, как с братом, и чувства Ислама ей так далеки, как снег на вершинах горы Улудаг далек, скажем, от мавзолея, где Ленин.

Вера обмоталась шарфом, натянула варежки на свои быстрые и длинные пальчики и шершавыми, шерстяными ладонями потрепала его по щеке.

— Смотри, только не говори никому, — шепнула она, и Ислам ее понял.

ГЛАВА VII

Вечер, холодный и только слегка подсиненный той еле заметной весеннестью воздуха, которая скупо проникает с высокого неба в самой середине марта, отчего ребрышки беззащитных веток становятся словно покрытыми лаком и быстро бегут по краям облаков, — такой наступил изумительный вечер, рождающий в людях тревогу и вместе с тревогой надежду на что-то. Ислам, растерянный и огорченный, решил пойти к братьям и им рассказать, как он полюбил и не знает, что делать.

Братья Ислама Алчоба и Башрут, только что закончившие работу и едва успевшие умыться, торопились в красный уголок, где сегодня должна была состояться лекция для всех лиц мусульманского происхождения на тему «Рай и Ад».

— Я с вами хочу сейчас поговорить, — сказал молодой и горячий Ислам.

— Пойдем с нами, брат, — возразили они. — А вечером поговорим.

Лекция состоялась на русском языке, ибо это был единственный язык, на котором собравшиеся мусульмане могли объясниться друг с другом. Лектор уже стоял на небольшом возвышении и внимательными, в густых ресницах, глазами оглядывал входящих. В памятке, полученной посетителями, значилось, что Мусса Абдулахович Мухамедов обладает степенью доктора исламских наук и является вторым заместителем одного из старейших имамов Казанской государственной мечети. Одежду уважаемого Муссы Абдулаховича составляла белая рубашка с черной шелковой безрукавкой поверх, широкие брюки, ботинки из замши. Тюрбан, как еще не раскрытый бутон, высокий, почти что до люстры, венчал его голову. В мягкой, немного гортанной речи второго заместителя имама и доктора исламских наук был еле заметный восточный акцент. Ислам, подчинившись взволнованной тишине в красном уголке, начал слушать, изредка оглядываясь на радостно-торжественные лица Алчобы и Башрута.

«Вот когда вы видите красивые фотографии, какие-то, скажем, красивые реки, озера какие-то и водопады, вы думаете про себя, что вот так, наверное, выглядит рай. Но рай выглядит намного красивей. Он такой красивый, что человеку даже в голову не может прийти такая красота. Человек совсем и не представляет себе такую красоту. И никакой компьютер никогда не покажет ему ничего подобного. В Коране нет лжи. И если в Коране нам сказано, что нет ничего красивее рая, то, значит, нам сказано все так, как есть. Вот здесь вы кушаете разные вкусные плоды. Вы кушаете, скажем, груши и яблоки. И персики тоже. И вы кушаете их сырыми, свежими или сушеными. И в раю есть всякие плоды. И свежие, и сушеные. Но мы не можем представить себе, насколько они вкуснее персиков, которые мы кушаем здесь, и груш и тем более яблок. Мы не знаем вкуса этих плодов и не знаем, как они называются. Коран говорит, что они есть, и мы верим, что они есть, потому что в Коране нет неправды, а есть только правда. — Доктор исламских наук перевел дыхание, глаза его сладко блестели. — А когда вы пьете воду в раю, вы даже не понимаете, что это вода, потому что она такая чистая и прозрачная, как воздух. И вы глотаете ее и насыщаетесь, но вы даже не подозреваете, что это вода».

По красному уголку пробежал тихий шорох, как будто какой-нибудь ангел в тюрбане, еще даже много белее, красивей, чем шелковый этот тюрбан на имаме, влетел через форточку и прошуршал своими легчайшими светлыми крыльями.

Ислам увидел, что у Башрута задрожали губы, и щеки его вскоре стали как розы.

«Вот вы приходите домой после вашей работы, — продолжал лектор, — и вы ложитесь на диван отдыхать. И ваша жена подает вам еду. Если вы очень устали, она не попросит вас сесть за стол, а принесет вам горячую и вкусную еду прямо на диван, чтобы вы не утруждали себя после вашей работы. А в раю вы все время будете отдыхать и вам будут прислуживать люди, которые всегда находятся там только для того, чтобы прислуживать вам. В раю будут женщины, но они будут в сто миллионов тысяч раз прекраснее ваших земных женщин. Они будут чистыми, благоуханными. У них белая кожа, белее, чем реки из молока, текущие там. А глаза у них большие, как яйца невиданных птиц, и они всегда опущены. Потому что эти женщины не знали мужчин, они ждут только вас. Они будут вашими женами. Вы увидите их возлежащими на зеленых подушках, которые разложены в ряд, и вы приблизитесь к ним, и каждая из них отдастся вам, и сила ваша на ложе никогда не иссякнет. Эти девственницы называются гурии, и если ваша жена на земле оскорбляет вас, то знайте, что ваша жена в раю, ваша гурия, уже говорит вашей здешней жене:

«Аллах порази тебя, грязная женщина! Он у тебя в доме только гость, а здесь, со мной, он будет жить вечно. И знаешь ли ты, отчего? А все оттого, что я вечная девственница».

У Ислама стянуло затылок, как будто ему, не спросив разрешенья, надели какой-то резиновый шлем. Лицо юной гурии Веры, белее, чем лилия в зыбкой воде, качнулось у глаз его, остановилось и снова качнулось. Он вспомнил про вату. Она была девственницей. И вот потому и нужна была вата. Он, дикий Ислам, осквернил ее девственность.

«Теперь я хочу рассказать вам про ад», — сказал громко доктор исламских наук.

Опять прошуршал где-то ангел.

«В аду все время горит очень сильный огонь. Он в семьдесят раз посильнее обычного. И он никогда не погаснет. И я вам скажу, кто горит в нем. Горят насильники, прелюбодеи и те, кто здесь, на земле, оскорбил нашу веру. В аду есть ущелье, и в это ущелье спускают всех грешников. В ущелье темно, их не видно глазами. Но стоны их, вопли и визг их собачий, бывает, что можно услышать с земли».

В красном уголке стало так тихо, что, когда Мусса Абдулахович громко сглотнул скопившуюся в уголках рта слюну, собравшиеся на лекцию вздрогнули от неожиданности.

Вернувшись в свою маленькую комнату и так и не рассказав братьям о том, что случилось с ним днем, Ислам, чуть ли не поседевший от страха за несколько эти часов, решил, что пойдет завтра утром в мечеть, а гурию Веру, которую он оскорбил и унизил, попросит принять мусульманство и ждать, пока ей не стукнет шестнадцать: тогда они женятся с ней и уедут в деревню.

Этой ночью произошло так много разных событий, что я и не знаю, с чего мне начать. Стоит ли ограничиться Москвой и Московской областью или имеет смысл переметнуться в другие государства? Отчего бы не переметнуться, например, в Голливуд? Оттого, скажете вы, дорогие читатели, что Голливуд не имеет никакого отношения ни к Вере Переслени, ни к Андрею Андреевичу Бородину, ни к его жене Елене, ни к матери этой Елены, ни к дочке. А вот и неправда. Все имеет отношение ко всему, потому что «род проходит, и род приходит, а земля пребывает во веки. Восходит солнце, и заходит солнце, и спешит к месту своему, где оно восходит. Идет ветер к югу, и переходит к северу, кружится, кружится на ходу своем, и возвращается ветер на круги свои. Все реки текут в море, но море не переполняется: к тому месту, откуда реки текут, они возвращаются, чтобы опять течь. Все вещи — в труде: не может человек пересказать всего; не насытится око зрением, не наполнится ухо слушанием. Что было, то и будет; и что делалось, то и будет делаться, и нет ничего нового под солнцем. Бывает нечто, о чем говорят: «смотри, вот это новое»; но это было уже в веках, бывших прежде нас. Нет памяти о прежнем; да и о том, что будет, не останется памяти у тех, которые будут после».

КНИГА ВТОРАЯ

ГЛАВА I

Пришла настоящая весна. Днем уже стало не просто тепло, а даже жарко, и облака в голубом небе округлились, поплыли беззвучно одно за другим, как будто им так приказали: «держитесь друг друга и не разбегайтесь». А люди, напротив того, разбежались: почуяли, значит, тепло и свободу. Гулять стали парами, за руки взявшись, на лавочках в парках почти что лежали, поскольку не нужно ни меха, ни куртки, не нужно дышать в воротник, согревая лицо и себе, и любимому парню, который упрямо сует тебе руки под шубу, рейтузы и теплую юбку, пытаясь нащупать желанные точки.

Весна! И в деревне весна. И скот на лугах щиплет... Что он там щиплет? Щипать ему нечего, но этот скот похож на людей, как две капли воды: вот нечего вроде щипать, а он щиплет.

Андрей Андреич Бородин второй месяц жил в своей небогатой, давно нуждающейся в ремонте квартире, расположенной в самом центре Нагатина, неподалеку от станции метро «Коломенская». Прежде на месте весьма облупившегося от сурового нашего климата многоэтажного дома с куцыми, пугающими своею легковесною хрупкостью балконами располагалось угрюмое село «Огородный гигант», которое партия в самом конце тысяча девятьсот тридцатого года обязала поставлять в московские гастрономы засоленные огурцы и капусту. Времена были непростые, приходилось то и дело обороняться от врагов молодого Советского государства, которые угрожали ему то с севера, а то вдруг, совсем обезумев от ярости, с востока и запада с югом. Оборона проходила успешно, но засоленных огурцов все равно не хватало, и были приняты меры по устранению вредительства в селе «Огородный гигант»: сперва была увезена под самое утро и больше уже не вернулась домой семья председателя Фрола Петровича, а после закрыли и среднюю школу, но не насовсем, а на несколько месяцев, желая, чтобы поколение юных, готовых на все и всегда пионеров рубило, солило и квасило овощи с отцами, и братьями, и матерями. Учитель Никита Иваныч Заборкин поехал в Москву объяснять ситуацию. Вернулся довольным: в Москве его поняли и школу велели обратно открыть. Однако неделя прошла, и машина приехала ночью к Никите Иванычу. И больше его на селе не встречали. Но то ли прогневали Бога в «Гиганте», а то ли еще по какой-то причине, но летом пошли вдруг такие дожди, что все огурцы и капуста погибли, — внутри мокрой почвы прогнили и померли, — солить стало нечего, кроме травы.

Короче, беда, невезуха, позор. Но факт фактом был и таким же остался — страна ждала бочек с соленой капустой, а бочки стояли пустыми. Что делать? Послали рабочих, и те очень быстро все двадцать домов разобрали на щепки. Потом эти щепки горели три дня, поскольку был дождик — огонь заливало. Опять поджигали, опять заливало. Упорство людей победило стихию, сгорел до седых головешек «Гигант». Ушли поселяне, держась друг за дружку, и, может, еще до сих пор все идут: никто ничего про их судьбы не знает.

Через сорок лет на месте этого пепелища вырос дом, в который только что родившийся Андрей Андреич Бородин переехал со своей матерью и ее мужем. Отцом его был неизвестный философ и, как говорили, «бродячий философ», который, устроив зачатье ребенка, побрел восвояси и не оглянулся, а мать с животом и разбитой душою пошла с горя замуж за славного с виду, но пьющего мичмана, которого быстро списали на берег, где он стал еще даже более пьющим, поскольку теперь он уже не боялся свалиться за борт, в волны Черного моря.

Оказавшись не то чтобы матерью-одиночкой, поскольку ведь был он, мужчина и муж, хотя бы и пьяный, но все-таки был, Софья Владимировна Тамарченкова, которая так и носила до самой смерти свою девичью фамилию, иногда в сердцах и в обиде на пьяницу рассказывала маленькому сыну, носящему фамилию не родного отца своего, а отчима Бородина, что он весь характером в папу-философа и даже глаза у него — философские. Софья Владимировна преподавала пение в младших классах, и музыка прочно вошла в ее жизнь. Пусть даже не Бахом, не Шнитке, не Моцартом, а песней про то, что всегда будет солнце, но музыка — это не грядка с редиской: она возвышает нас над суетою. Не будь музыки, Андрей Бородин не узнал бы об одиноком философе и не отдала бы ему Софья Владимировна незадолго до своей смерти фотографию молодого, но полностью поседевшего, худощавого человека, сказавши, что это и есть он, отец. Природный отец, близкий сыну по духу.

Надо сказать, что материнские слова горячо растрогали молодого Бородина, и он начал думать. Сперва об отце, потом обо всем остальном. Вот с этого и началось. Смотрел голубыми глазами и думал. Ничьих точек зрения не принимал, ни в ком глубоко не нуждался. Инстинкт ему говорил, что отец, наверное, жив, а богат или беден, здоров или болен, и где он теперь, уже не имело значения вовсе.

Итак, с рюкзачком за спиной Андрей Андреич Бородин вернулся в свою нагатинскую квартиру, где не было уже ни спившегося и погибшего на звонких трамвайных рельсах мичмана, ни матери Софьи Владимировны. Вернулся влюбленным.

Разрыв с семьей мучил его гораздо меньше, чем можно было ожидать. Через день после разрыва девочка Васенька с розовыми щеками подбежала к нему в школьной раздевалке, и он ее быстро прижал сразу к сердцу. Дитя было нежным, родным, вкусно пахло.

— А я говорю: «Мама, где же наш папа?» А мама сказала, что «он пишет книгу». И что тебе очень нужна тишина.

— Она так сказала? — искренне удивился Бородин.

— Ну да. И еще говорит, что ты, как напишешь, так сразу вернешься. А я говорю: «А я как же буду?» Она говорит: «Вы же встретитесь в школе. А дома пускай он побудет один. Напишет и станет таким знаменитым!»

— Она не сказала, про что эта книга? — спросил Бородин.

Васенька завертела головой.

— Беги, моя ласточка, — поцеловал ребенка в горячую щеку. — Беги. Вон все уже строятся.

Веры Переслени на уроках не было, и у Андрея Андреича неожиданно отлегло от сердца: хотелось и вправду побыть одному. Хотелось заснуть, без подушки, без майки, и чтобы нагатинский, влажный и пьяный от вдруг наступившей весны теплый ветер ворвался к нему в эту бедную комнату, в которой что можно пропил славный мичман, — ворвался, взъерошил всю пыль в этой комнате, а он будет спать, спать и видеть во сне ее земляничные жадные губы.

После четвертого урока он заметил, что Елена, бывшая жена его, сидит на своем обычном месте и ждет Васеньку. Он подошел к ней.

— Ты здорово это придумала, Лена, — сказал Бородин, — очень здорово, умница.

— Придумала что? — побледнела Елена.

— Что я пишу книгу.

— Ах, это! — Елена махнула рукой: — Она любит книжки. Ей это приятно.

— Ну что же, придется, наверное, писать.

— Пиши. — И она побледнела сильнее. — А мне не докладывай. Неинтересно.

Он смотрел на нее и словно не узнавал в этой располневшей и неухоженной, с прекрасными, густыми волосами, кое-как подобранными под шапочку, женщине ту самую высокую и смеющуюся свою жену, на которую еще летом так заглядывались мужчины на улице, что у него непроизвольно сжимались кулаки. И сейчас, когда она, не вставая со своего стула, подняла на него измученные глаза, которые были изнутри словно бы затянуты странной белесой пленкой, у Андрея Андреича застучало сердце, и он вдруг подумал, что лучше всего им пойти бы домой и там сесть за стол, и достать коньячку, и выпить, тогда бы язык у него развязался, и он бы сказал ей: «Прости меня, милая». И Лена, жена, его сразу простила бы. Тем более ведь ничего не случилось! Ну, три поцелуя в пустой подворотне — о чем говорить? Молодой ведь мужик. Другие направо-налево гуляют, детей понаделали на стороне, и кто им хоть слово сказал? А никто.

Все это пронеслось в голове Андрея Андреича, как в небе, бывает, проносится птица, тяжелая, быстрая, взгляд успевает скользнуть по ее очертаньям, а птица исчезла уже, отпечатав свой шумный полет на зрачках человека, встревожив его, но ничем не задев, никак на судьбе его не отразившись. Он вспомнил про Веру, про эту любовь, и радость, что это не сон, не игра, а чистая правда, и все это — с ним, и все это здесь, на земле, все сейчас: ее эти губы, и слезы, и то, как вся она жадно прижалась к нему, и как засмеялась внутри поцелуя, — радость так безудержно охватила Бородина, что он, как мальчишка, смутился, поймавши тоску на лице у Елены, и страх, что эта тоска ее все вдруг испортит, клещами зажал ему горло.

ГЛАВА II

Последняя неделя апреля приближалась к концу, и звуки весны на земле и на небе росли так стремительно и так менялся весь облик природы, что этого просто уже не могли совсем не заметить московские люди. И если из них кто-то был и слепым, он должен был все же услышать весну, а если глухим кто-то был, то и он был должен увидеть, как по синеве порхают согретые солнышком птицы и как на поверхности черной земли рождаются первые свежие травы.

Все без исключения люди сейчас присутствовали на большом торжестве: они вовлекались в победу над смертью, которая происходила вокруг. И если бы не были люди глухи к тому, что не слышно ушами, слепы к тому, что не видно глазами, они должны были бы улыбаться от счастья. Ведь с каждым из нас будет то же, что и с последней ромашкой в еловом лесу, с последней букашкой на тонком стволе, с последним слегка лиловатым жуком, поскольку мы все родились, как они: кто из живота материнского, кто из куколки, кто из бутона, и все мы уйдем, как они, — высоко. Мы только не знаем минуты ухода.

Сдержанный Иван Ипполитович Аксаков с самой середины апреля начал вдруг чувствовать что-то такое, что сильно мешало ему сосредоточиться. Он то раздражался из-за всякой ерунды и доходил до состояния не известной ему прежде ярости, то вдруг ловил себя на безудержном и опять-таки новом его душе желании счастья, которое должно наступить сейчас же, немедленно, и чем оно проще, грубее, тем лучше. Он понимал, что все его надежды на Ларису Генриховну не имеют под собою никакой почвы, но не выдержал и в субботу вечером зашел к своей матери, чья квартира была подле квартиры Ларисы Генриховны. Какой-то мальчишка, по виду похожий не то на чеченца, не то на грузина, присевши на корточки, аккуратно раскладывал цветы на пороге этой квартиры и сильно смутился, увидев Ивана Ипполитовича. Профессор Аксаков не был большим психологом, но выражение какого-то почти священнодействия на этом простом и чернявом лице его удивило. Иван Ипполитович деликатно отвел глаза, а незнакомый юнец, стрельнув воспаленным вишневым зрачком, сбежал вниз по лестнице, и грохот рабочих его башмаков напомнил профессору то, как с горы, по виду такой неподвижной и тихой, вдруг сыпятся камни.

Вот тут-то и посетила профессора Аксакова одна очень странная мысль: нужно сделать так, чтобы Марка Переслени не существовало. Поначалу он испугался этой мысли и даже покрутил пальцем у левого виска, натянуто засмеявшись. Но дикая мысль не ушла, а стала обрастать подробностями и, главное, становилась все более и более законной, как будто бы даже логичной, и логика эта вытекала из самого простого соображения: если не будет Марка Переслени, жизнь профессора Аксакова снова обретет тот счастливый смысл, который оборвался в летний день, когда он со своей мокрой от дождя сиренью приехал к Ларе, увидел под тонким халатиком Ларину грудь и понял, что кто-то сегодня ласкал эту грудь и мял ее жадными пальцами.

«Ведь только до этой минуты я и жил по-настоящему, — с тоской думал он, глядя на простодушные цветочки, так декоративно разложенные у двери, как будто бы дверь была памятником. — Я наслаждался тем, что дышу, и живу, и люблю, я ничего не боялся. И жить стоит только вот так. А все остальное не нужно совсем. Я обманываю себя, я с самого начала принялся обманывать себя и изображать, что мне так дорога моя работа! И только месяц назад я понял, что все это ложь. Вот Лара пришла и сказала, что ей нужна моя помощь. И я сразу ожил. И когда я рядом с ней, и слышу ее голос, и смотрю на нее, мне хорошо. Мне *действительно* хорошо. А все остальное... — он начал искать уместное слово. — Да, все — *чепуха!*»

Найдя это слово, он повеселел.

«Ужасный, дурной человек Переслени! Ведь он истерзал ее! В нем — ни жалости к ней, ни любви, ничего! Зачем он живет? Только зло приносит. Да, он проводник только зла на земле».

«Ты хочешь, наверное, смерти ему?» — спросил его вкрадчивый внутренний голос.

Иван Ипполитыч немного замялся: «Хотелось бы, в общем, его обезвредить... Но как обезвредить? И что? Самому?»

«Да много есть способов! Хоть завались! — откликнулся голос с большой охотой. — Ты можешь его хоть сейчас довести до самоубийства. Раз плюнуть, и все. А хочешь, подавим его до того, что он из психушки уже не вернется».

«Таблетками?» — хрипнул профессор Аксаков.

«Зачем же таблетками? — голос стал тише. — Ты вспомни-ка бабу Валерию. Вспомни».

И тут Иван Ипполитович начал вспоминать. Ему было тридцать три года, и он только что приехал из Лондона, где провел почти четыре месяца на очередной стажировке. Надо сказать, что, находясь в Лондоне, Иван Ипполитович чуть было не влюбился в одну англичанку и чуть было даже не сделал ей предложения. Англичанка была милой, худощавой, немного косила, но ей это шло, и Ивана Ипполитовича поразили однажды ее плечи в открытом платье, которые были так густо усыпаны веснушками, что напомнили ему родную русскую поляну, золотую от лютиков. Однако любовь очень быстро увяла, опять же напомнив и этим поляну, а в сердце Иван Ипполитовича снова, как это бывает с фотографией, на короткое время извлеченной из рамки и вновь вставленной в нее, вернулась Лариса Поспелова. После дождливого и слишком уж туманного Альбиона Москва, вся в снегу, в куполах, в суматохе веселого предновогоднего времени, обрадовала профессора Аксакова и вызвала в нем новый прилив творческих сил. Вот тут он услышал про бабу Валерию. Сотрудники института имени Бурденко кипели и спорили: одни говорили, что чушь и притворство, другие серьезно и важно молчали. Оказалось, что на Ярославском вокзале уже несколько месяцев безвыездно находилась некая женщина. Спала там, и ела, и мылась в уборной, но, поскольку это запрещено законом, к ней неоднократно обращались из милиции, предлагая добровольно покинуть столь неудачно выбранное ею место проживания. Но женщина не только не съехала, а как-то даже укрепилась, зато всех троих милиционеров, обращавшихся к ней с этим требованием, постигли несчастья. У сержанта Алексеева жена оказалась беременной, но это никак не имело отношения к самому сержанту, поскольку он год жил в Мытищах у матери, сломавшей себе позвоночник, и вовсе с женой своей Любой интимно не виделся. У второго сержанта, Бородовского, применившего к неизвестной физическое насилие, погиб под колесами поезда сын. А третий запил и ушел из семьи.

Нейрофизиологи, по природе своей вдумчивые и бесстрашные люди, прослышали об этой странными особенностями обладающей женщине и в составе целого отдела по изучению «гипнотических методов воздействия на окружающих и телепатии» прибыли на Ярославский вокзал. Опасным существом, поселившимся в зале ожидания, оказалась худенькая, похожая на лисичку Валерия Петровна Курочкина, назвавшая себя при первом знакомстве «бабой Валерией». На худенькой спинке у Валерии Петровны располагался небольшой горбик, который издали можно было принять за рюкзачок, а светлые волосы, сплетенные в косу, обвивали ее голову невинным веночком. Радостно улыбаясь маленьким морщинистым ртом, Валерия Петровна тут же доложила любознательным ученым, что с самого младенчества своего отдалась дьяволу, о чем нисколько не жалеет. Следов безумия в свеженьком лице ее не было никаких, а, напротив, была какая-то даже спокойная сосредоточенность, как будто ей только того и хотелось, чтобы медицинские служащие приняли ее всерьез, иначе никакого делового разговора с ними не получится. Тут же она рассказала и всю свою незатейливую, хотя зловещую историю. Родилась Валерия Петровна неподалеку от Москвы, а именно в деревне Дырявино, но не от простых каких-нибудь мучеников села, а от интеллигентных людей: фельдшерицы Алены Игнатьевны и специалиста по лошадям Петра Ильича Курочкиных.

— Но только родным моим папой был *он*, — она показала мизинцем на пол, протертый старательно шваброй с опилками, — *он, он!* Врать не буду.

— Откуда вы знаете это? — спросил аспирант по фамилии Яшин.

— Да как же не знать! — удивилась она, всплеснувши руками, как уточка крыльями. — Такого отца да не знать! Да вы что? Всему научил да всему надоумил, а силу-то дал — пятерым не сравняться! Вот, хотите, я вас сейчас подыму?

— Как так «подыму»? — удивился ученый.

— А так: подыму, да и все, — она подхватила его под коленками и очень легко подняла, как ребенка.

— Пустите меня! — закричал гордый Яшин. — Здесь люди же ходят!

— А люди мне — тьфу! Сегодня вот ходют, а завтра лежат!

Однако эта неожиданная в такой горбатой крохотке физическая сила была ничто по сравнению с теми возможностями, которые таились в ее проданной дьяволу душе. На простой вопрос ученых медиков, с какой целью Валерия Петровна, у которой был в Дырявине собственный дом с огородом и скромная пенсия, поселилась на Ярославском вокзале, проклятая дочь отвечала загадочно:

— Так тесно мне стало. А здесь попросторней.

В порче, наведенной на молодых милиционеров, созналась, сказавши, однако, что порчу устроила им не она, а папаша.

— Ох, *он* не спускает! — сказала она. — Ему за дитятю небось ведь обидно!

Несмотря на то что при завершении этого разговора каждый сотрудник отдела «гипнотических методов воздействия на окружающих» почувствовал в своем пищеводе холодную змею, Валерию Петровну нельзя было отправить в Дырявино, не изучивши. Впервые за годы труда и догадок, открытий, борьбы, конкуренции, опытов с невинными, белыми, как ангелочки, мышами и столь же невинными крысами открылись иные вершины сотрудникам. Как будто брели по осенней грязи и вдруг набрели на цветущее поле. А лучше сказать, на поля в красных маках. Какого дурману здесь насобираем, каких диссертаций напишем за месяц!

В прежние времена, при неэнергичном, например, и трусливом руководителе Черненко или при нелюбознательном руководителе Ельцине, бабу Валерию схватили бы под ее белые и чистенькие локотки и поволокли бы к обшарпанной милицейской машине сажать на обструганный кол и допрашивать. Но ведь времена наступили другие, и сам Кашпировский с его острой челкой казался уже старомодным и скучным.

Поэтому Курочкину пригласили участвовать в их гипнотических опытах

— Наукой меня не возьмете, хорошие, — сказала хвастливо Валерия Курочкина. — Я как на духу говорю, не возьмете.

И Боже мой, что началось! «Баба Валерия», как называли ее простодушные односельчане, устраивала такие опыты, что за ней пришлось установить круглосуточное наблюдение. Институт выделил средства, и Курочкину поселили в недорогой гостинице «Спутник», где она на третий день поругалась с администратором, и поздно вечером этот приличный, начавший седеть человек был арестован и выведен в наручниках из родного «Спутника» за незаконное заселение в номер «люкс» двоих проституток тринадцати лет, которыми он наслаждался бесплатно. Курочкину из гостиницы немедленно выписали, но возвращаться к себе в деревню она отказалась.

— Зачем мне в деревне сидеть, посудите? — спросила она. — Мне там нечего делать. Вам нужно, вот вы и старайтесь. Деревня — не место для жизни, дыра. Одно только слово: «Дырявино». Вот что.

Вот тут-то подвернулся слегка побледневший от лондонской влаги Иван Ипполитович. Дело в том, что молодому профессору постоянно приходило в голову, что никакими химическими, физическими и всякими другими «законами», без устали устанавливаемыми людьми, никак не объяснить того, что называется нравственными правилами жизни и вырабатывается с помощью душевного опыта. Чувствуя себя, невзирая на постоянные успехи в карьере (что, впрочем, неверное слово, так как Иван Ипполитович меньше всего думал именно о «карьере»!), человеком несчастливым и обделенным, Иван Ипполитович пытался понять, почему нужно соблюдать эти нравственные правила и не есть ли эта необходимость еще одно заблуждение пугливого разума. Безжалостное решение порвать с милой и немного косящей своими зелеными глазами англичанкой Энн Фэйер и холодность, с которой он сделал это, испугали молодого профессора, и вскоре он принялся наблюдать за собой пристальнее, чем за собственными пациентами. Развитый интеллект предлагал Ивану Ипполитовичу множество источников для объективного, как ему казалось, анализа людской природы. Открывши как-то раз Библию на странице Притчей Соломоновых, Аксаков почувствовал, как сердце его начало требовательно и раздраженно стучать о ребра, словно что-то мешало этому важнейшему в человеческом теле органу работать со своей обычной здоровой безучастностью: *«Больше всего хранимого храни сердце твое, потому что из него источники жизни. Отвергни от себя лживость уст, и лукавство языка удали от себя. Глаза твои пусть прямо смотрят, и ресницы твои да направлены будут прямо перед тобою. Обдумай стезю для ноги твоей, и все пути твои да будут тверды. Не уклоняйся ни направо, ни налево, удали ногу твою от зла».*

«Какое же зло сделал я в своей жизни? — думал Иван Ипполитович. — Да никакого зла я не сделал! Тогда почему же именно на меня должно было свалиться такое наказание? Да, это ведь наказание, что я не могу полюбить никого, кроме Лары, это сильное и несправедливое наказание, а главное, совершенно незаслуженное!»

Вышедшая к тому времени на пенсию мама профессора Аксакова лечилась от язвенной и желчнокаменной болезней в одном из пансионатов Пятигорска, и уютная ее квартира пустовала. Долго не раздумывая и совершенно не позаботившись о том, какие могут быть от этого его поступка ужасные последствия, Иван Ипполитович предложил начальству института поселить дьявольское отродье Курочкину в квартире родной своей матери и опытов не прерывать. При этом он понимал, что, перебравшись на «Спортивную», Валерия Петровна перейдет в его, так сказать, распоряжение, и можно будет поглубже познакомиться с этим феноменальным нечеловеческим существом.

За те две недели, которые Курочкина провела в квартире ни о чем не подозревающей матери профессора Аксакова, она в полной мере доказала Ивану Ипполитовичу, что слухи о скопившихся внутри ее бесовских залежах ничуть не преувеличины, но та легкость, с которой она претворяла в жизнь эти отпущенные ей запасы, повергла профессора в шок.

— Гляди, гляди, Ваня, — добродушно говорила Валерия Петровна, усевшись после ванны с ногами на диван и завернувшись в махровый халат педиаторши. — Ведь я никого сама не задеваю. А я вот глазами их всех просверлю, — Курочкина суживала небольшие лисьи глаза свои, быстро наливавшиеся густой кровью, и показывала, как именно она просверливает. — Вот так просверлю, и мне сразу понятно.

— Так что вам понятно?

— Вареньица мне подложи, — томно просила Валерия Петровна, протягивая ему опустевшую и чисто вылизанную ее острым языком розетку. — Варенье у вас тут отличное, Ваня. А в этом Дырявине сами ведь варят. Сберут свою кислую зелень и варят. Совсем опустились.

— Так что вам понятно? — переспрашивал Иван Ипполитович.

— А гниль все одна! — махала беспечной ладошкой ведьмачка. — Ведь вот говорят: «Очищай человеков». А как их очистишь, когда одна гниль? Мы с папой моим так решили: «А пусть их! Пусть и получают, чего заслужили!» А *те-то* стараются! — Курочкина хихикала и возводила окровавленные глазки к потолку. — У них там и ангелы, Вань! Чего нету! А что поменялось-то? А ничего.

— Я вам, Валерия Петровна, не верю, — холодея отчасти от страха, отчасти от никогда не испытанного прежде удовольствия от столь раскованной беседы, бормотал Иван Ипполитович. — Вы актриса, Валерия Петровна. Вы самородок.

— Актрис не люблю, — обрывала она, — они мне родные, а вот не люблю. Актеришков тоже терпеть не могу. Ну, в нашем роду, Ваня, всякого было! Им памятников вон понаставили, Ваня, а это же наша семья, наши парни. Мы сразу сказали: «Не трогайте их. Ребятки — что надо, плоть наша и кровь. У них вон копытца уже ошерстились». А *те* все стараются! Неугомонные.

Кругом шла голова Ивана Ипполитовича от простой и ясной картины мироздания, которая открывалась ему с помощью Курочкиной. Опыты в институте между тем продолжались, и результаты их были убийственными. Начальство сильно беспокоилось, и поступило уже одно серьезное предложение прекратить работу и насильно выдворить Валерию Петровну обратно в Дырявино. Однако ни у кого из сотрудников язык не поворачивался произнести в лицо говорливой горбунье это предложение: с Валерией Петровной боялись вступать в прямые контакты и даже на профессора Аксакова, поселившего ее в квартире родной своей матери, смотрели с невольной опаской.

Курочкина с легкостью обнаруживала, где находятся спрятанные учеными предметы, сообщала о неизвестном ей человеке такие подробности его жизни и характера, от которых всем становилось неловко, видела в кромешной темноте точно так же, как при дневном освещении, и, снизойдя однажды к личной просьбе одной молоденькой лаборантки, навела порчу на женщину, полгода назад уведшую у лаборантки возлюбленного. Работала быстро и непринужденно, хотелось бы даже сказать, с огоньком, поскольку горел — ах, горел огонек — в кровавых глазенках ее от работы.

Чужие мысли Валерия Петровна читала, как букварь, а свои собственные, совершенно дурацкие, а иногда и неприличные, могла навязать в институте любому и очень потом потешалась над жертвой. Она уже чувствовала себя в клинике, как дома, еще лучше чувствовала себя в чужой квартире на «Спортивной», и в конце концов Ивану Ипполитовичу прямо сказали, что от этой, обладающей никакому научному объяснению не поддающимися способностями женщины нужно избавляться любыми средствами. Обмануть Курочкину было так же невозможно, как обмануть явление природы: не скажешь ведь грому, что он полнолуние? А скажешь, так он над тобой посмеется, но только на свой, грозовой уже лад.

В конце концов связались с Московским институтом психиатрии. Сказали все честно: «Друзья, выручайте. Бабец уникальный. Мозги перекручены справа налево и слева направо. Что ни полушарие, то и загадка. Берите себе, разбирайтесь, дерзайте».

Друзья-психиатры, глядя на такое унижение друзей-нейрофизиологов, почесали в затылках и согласились. Валерии Петровне предложили новую серию опытов в другом, правда, месте. Ждали скандала, но Курочкина собрала морщинистый ротик в бутон и сказала:

— Мне что? Я согласна.

В пятницу вечером очень подробно описала только что произошедшее с нею кратковременное отделение души от тела:

— Сначала в огне вся горю. Жуть такая! Горю и горю. А потом меня душат. Как будто пакет на лицо мне надели и сверху еще завалили землицей. И тут же гляжу: ан, а я улетела! Висю над собой, вся такая прозрачная! А вниз погляжу: лежу, как лежала. И зря вы меня разбудили, товарищи. Наука вам точно «спасибо» не скажет.

Услышав это описание, в Институте психиатрии переполошились:

— Ну, все! Это то, что нам нужно!

Договорились, что выходные Валерия Петровна проведет в квартире матери профессора Аксакова, а в понедельник утром за ней приедет машина срочной психиатрической помощи, и жить она будет теперь прямо в клинике.

Жара была в городе, люди томились. А в пятницу вечером все расползлись по дачным участкам и там уж притихли. Иван Ипполитович решил воспользоваться двумя последними днями и провести их в обществе Курочкиной с наибольшей для себя пользой. Ночевал он в своей квартире, а утром, часов эдак в девять, пришел к подопечной. Представьте себе его изумление, когда, оказавшись на пороге родительского дома, услышал он, как в ванной, заглушая льющуюся из крана воду, поет Алла Пугачева:

Без меня тебе, любимый мо-ой,
земля-я мала-а-а, как о-о-стров!
Без меня, тебе, любимый мо-о-й,
лете-е-ть с одни-и-и-им крыло-о-о-м![1]

Голос был точно популярной российской примадонны, в этом сомневаться не приходилось, но каким образом могла очутиться Алла Пугачева в скромной квартире матери профессора Аксакова и почему она мылась в ее ванной, — на это ответа не было. Иван Ипполитович принялся растерянно озираться, чтобы понять, где находится в данную минуту Валерия Петровна Курочкина, и допросить ее, ибо первая мысль, пришедшая ему в голову, была хоть абсурдной, но все-таки мыслью: ведьмачка неведомым путем заманила

---

[1] Слова песни И. Резника.

к себе знаменитую Аллу Борисовну и заставила ее принять душ. А та, разумеется, с горя запела. Но Валерии Петровны нигде не было, только на паркетном полу поблескивала вороненная из ее косы погнутая шпилечка.

Песня оборвалась и раздались звуки крепкого обтиранья женского существа полотенцем. Профессор Аксаков замер в ожидании. Наконец дверь распахнулась, но вместо рыжеволосой и пышнотелой дивы из ванной вышла скромная Валерия Петровна в больших, не по размеру, тапочках хозяйки дома на своих распаренных, красных, как у гусыни, ногах. Горбатое тельце ее было туго обмотано полотенцем, волосы зашпилены на затылке, и вся худая и вдохновенная фигура напомнила Ивану Ипполитовичу один из памятников Махатме Ганди, недавно установленный в Англии.

— А, Ваня пришел! — улыбнулась Махатма. — А я вот помыться решила. Ух, жарко!

Виляя бедрами, Валерия Петровна прошла мимо оторопевшего ученого и улеглась на кушетке, высунув из полотенца острое и неаппетитное колено.

— Садись сюда, Ваня, — приказала Курочкина, ударяя ладонью по низенькому пуфу. — Я вот что хотела сказать...

— Постойте! — не выдержал доктор Аксаков, — постойте! А кто это пел?

— Как кто? Я и пела, — сказала она. — Вот хочешь, спою?

Иван Ипполитович обхватил голову обеими руками.

— А ты-ы-ы такой холо-о-о-дный,
как айсберг в океа-а-а-не!
И все-е-е твои печа-а-а-али
под черною ва-а-адой! —

мощно загремела невидимая Алла Пугачева, разрывая своим голосом щуплое тело индийского философа.

«С ума я сойду! А быть может, сошел?» — сверкнуло в его голове.

Валерия песню допела, молчала. Молчал и профессор.

— А мне тебя жаль, — прошептала ведьмачка. — Ты, Ваня, и наш и не наш.

— Что значит: и ваш и не ваш?

— Вот мне тебя, Ваня, сейчас уложить — минутное дело, — сказала она, — с отцом говорила сегодня. «Не связывайся, — говорит. — Что тебе? Приспичит, так сам прибежит, обожди. Во всем нужно честь соблюдать, — говорит. — А то, — говорит, — поспешишь, значит, дочка, так только людей насмешишь», — говорит.

Иван Ипполитович испугался, что сейчас потеряет сознание: так сильно закружилась голова.

— Ты вот, Ваня, как про меня говоришь? «Она — деревенская дура, а кто же?» Дырявино, Ваня, тебе не Москва, сама понимаю и очень сочувствую. Артисткой назвал. Ну какая артистка? — И, томно вздыхая, сняла полотенце, явив рыжеватые чахлые прелести смущенно забегавшим взорам профессора. — Не пялься, не пялься! — велела она. — Мужик — хуже пса, одна пакость в башке! Так что получается? Вы, значит, добрые, а баба Валерия злая, и всем одни слезы от бабы Валерии? А я тебя, Ваня, спрошу: вот откуда вы знаете, что кому — доброе, а? И что кому — злое? Молчишь? И молчи. С отцом обсуждали. — Лицо стало хитрым. — Уж он-то, поди, лучше знает, отец мой. Ему-то оттуда, из пекла, все видно!

— Так что *он* сказал? — ужаснулся Аксаков.

— А он говорит: никакой нету разницы. Тебе вот добро, а соседу вот зло. Тебе, Ваня, зло, а соседу — добро. Об этом и договориться не могут. А смерть — дело верное. Чистое дело. Она и помирит, она и полюбит.

— Так что, значит, смерти не нужно бояться?

Валерия Петровна так и выкатила на него ярко-розовые глазки:

— Ты шутки, наверное, шутишь, ай что? Чего там бояться? Обнимут тебя, крепче мамы родимой, и ты полетишь. Вот и вся тебе смерть. А там уж отец мой стоит на порожке. А он, Ваня, добрый! Добрее, чем *те*... У *тех-то* спектакли одни, как в театре...

Долго говорили они в таком роде. Иван Ипполитович опомнился только тогда, когда краснощекий вечер начал подбираться к столице, и вся она стала, как он, краснощекой, и вся про-

потела малиновым потом, и густо запахли лев-
кои на клумбах, и лебеди на Патриарших прудах,
слегка наклонив свои гибкие шеи, всмотрелись
в темнеющие зеркала, как будто бы завтра их
всех переловят и нужно успеть попрощаться с
собою. Говорила, правда, больше Валерия Петровна, и профессору Аксакову прочно врезалось
в память, что слова ее были хотя и безумные, но
убедительные, так что, расставшись с нею далеко
заполночь, крутя баранку машины, Иван Ипполитович явственно слышал их и тряс головою,
пытаясь их вытрясти, и пил кока-колу, и даже
молился на свой неумелый, но искренний лад.

Дальнейшая судьба Валерии Петровны Курочкиной, как рассказывали ему, была печальной.
В Институте психиатрии умудрились все-таки
сломать ее сильную волю, использовали ее в своих грубых медицинских целях, выпотрошили ее
незаурядные способности, посадили на какие-
то таблетки и, в конце концов, как это бывает
в браке, когда мужу, сорвавшему юную красоту
новобрачной, упившемуся ее невинностью, об-
рюхатившему ее множество раз и доведшему до
полного истощения сил и потери красоты, ничего не остается, как расстаться с опостылевшей
ему супругой, — так и несентиментальные пси-
хиатры, поставив Курочкиной диагноз «острая
шизофрения», отправили несчастную обратно в
Дырявино и забыли о ней.

ГЛАВА III

Странная жизнь наступила весною у Веры Переслени. Ставши женщиной, она почувствовала себя намного сильнее, но одновременно и уязвимее. Теперь ей казалось, что все мужчины на улице разглядывают ее так, как будто она идет голая, и нужно от них защищаться. Поэтому она перестала опускать ресницы, как делала раньше, а, напротив, встречала мужские зрачки всегда жестким презрительным блеском своих серых глаз. Отвращения накопилось так много, что Вера уже не боролась с ним: первое, что охватывало ее поутру, было отвращение ко всему и особенно к мужчинам, а также отдельное, очень брезгливое, особое чувство к Исламу. Ислама она не только не хотела видеть наедине, но даже, сталкиваясь с ним во дворе или в подъезде, делала вид, что не узнает его. Она взбегала по лестнице, чтобы не ждать лифта, взбегала, как серна в горах Анатолии, и только стучали ее каблуки, и только желтели свободные волосы, а он, небогатый турецкий рабочий, стоял и смотрел ей вослед.

Сначала пытался с ней поговорить, гортанно кричал:

— Эй! Эй! Дэвушка Вера!

Она убегала. Он клал ей цветы на порог, но цветы на следующий день исчезали куда-то.

В бригаде, составленной из представителей разных народов мира, работал армянин дядя

Миша, который должен был бы ненавидеть Ислама в силу переживаний, испытанных кротким армянским народом по воле народа турецкого. Однако он их не испытывал. И тут предлагаю я вам отступление.

*Живет, скажем, где-то семья. Армянская, скажем. И прадед у этой семьи был зарезан во время давнишних кровавых событий. Естественно, правнук его говорит: «А! Был геноцид! Геноцид! Признавайтесь!» Мол, пусть весь турецкий виновный народ признает, что прадед достойного правнука зарезан был острым ножом геноцида. Но есть и турецкая тоже семья. И там ихний прадед был тоже зарезан. А кем? Армянином. Когда? А тогда же. И эта семья говорит: «Вах, вах, вах! Какой геноцид? Сами вы хороши!» Пойди переспорь и пойди докажи. А все почему? Потому что обида, а кроме обиды, желание мести. Короче, тупик. **Мой** прадед и твой. Твой прадед и **мой.** Проклятие бедного рода людского.*

А здесь получилось так, что дядя Миша, попавший в бригаду, не помнил ни деда, ни бабки, ни даже сестры. Он был сиротою, и рос сиротою, и нрав его был не истерзан традицией. Поскольку и месть, и все острые чувства по давности лет уплывают в традицию, становятся вроде центрального блюда на пышных, крикливых и долгих поминках.

Миша был веселым и участливым человеком, хотя сильно пьющим, и братья Ислама Алчоба с Башрутом сто раз умоляли его не сближаться с армянским пьянчугой. Однако сейчас, когда русская девушка совсем отказалась его узнавать, Ислам стал искать утешенье в вине. И он очень быстро его там нашел. Плачевное зрелище открылось в среду вечером Алчобе и Башруту: они увидели своего младшенького, несмышленыша своего, крутолобого олененка Ислама, который в обнимку с седым, волосатым, беззубым, чужим человеком, шатаясь, брел прямо к себе в общежитие и громко при этом пел песню. Еще хорошо бы турецкую песню, а он пел армянскую, путал слова, но этим ничуть не смущался по пьянке. Алчоба с Башрутом как окаменели. Башрут, самый пылкий из всех этих братьев, рванулся к Исламу, но тут же Алчоба, отец очень многих глазастых детей, схватил его за руку.

— Остановись! Не трогай его. Он тебя не поймет. У нас с тобой, брат мой, нет выбора. Вот что.

— Что значит: нет выбора?

— Значит: нет выбора. Домой надо ехать. Погибнет Ислам. Когда мусульманин запьет — он запьет, и ты его пушками не остановишь.

И прав был Алчоба, отец четырех взрослеющих мальчиков и восьмерых взрослеющих девочек. Как он был прав!

Оставим на время Ислама, нетрезвого, с его новым другом, седым, хотя очень и добрым, и ласковым Мишей, а сами вернемся в семью Переслени.

Отец Веры Марк Аркадьевич Переслени с тою внезапностью, которая была нередкой для него, заявил своей жене, что может выйти из творческого кризиса, только если они оставят шумную и бестолковую Москву, где ему не пишется и не дышится, и переедут куда-нибудь к морю хотя бы на год или на полтора. Всего лучше в Ялту.

— Квартиру сдадим, станем миллионерами, — пыхтя своей трубкой, сказал Переслени. — А здесь я писать не могу. Здесь меня отвлекают.

— Но ты же не Чехов! — взмолилась жена. — Зачем тебе Ялта?

— При чем он здесь, Лара! Я пьес его с детства терпеть не могу! Громоздкие, слабые, скучные пьесы!

— Тем более, — кротко вздохнула она.

Марк Переслени положил обе ладони на ее молодые округлые бедра.

— Ты можешь остаться, поеду один. И, может быть, так даже лучше. Один.

— Один? Ты один не поедешь! А может, Марьяшка поедет с тобой?

Марьяшка, вернее сказать, прелестная собою, когда-то, в ранней молодости, синеглазая, а теперь светло-голубоглазая, с высокою грудью, актриса из ТЮЗа, которую звали Марьяной Топтыгиной, стоила Ларисе Генриховне большой крови. Переслени совсем ненадолго, не дольше, чем, скажем, на пару недель, увлекся Марьяной Топтыгиной, а та от нелепой своей бабьей гордости сказала кому-то в своем этом ТЮЗе, что встретила очень большую любовь. И очень надеется. Да, он женат. Но это еще никому не мешало.

Поскольку ни ТЮЗ, и ни МХАТ, и ни Малый, ни даже Большой, ни Дворец пионеров, ни просто дворец, ни любая контора, включая завод, а бывает, и фабрика, секреты хранить никогда не научатся, Ларисе Генриховне немедленно передали слова негодной Топтыгиной, и Лариса Генриховна отреагировала на них со всем ненасытным своим темпераментом. С тех пор утекло много лет, и Марьяшка давно уже и не играла на сцене, а стала вести драмкружок, но Лариса никак не могла успокоиться: эта, уже потерявшая формы, Марьяшка опять выплывала из тьмы ее памяти, грозя ей актерским своим крепким пальчиком.

— Опять ты за старое, Лара! — сказал Переслени, пыхтя резной трубкой. — Какая Марьяшка! На улице встречу — пройду, не узнаю.

— Ну нет! — не слушая того, что он говорит ей, задохнулась Лариса Генриховна. — Не будет тебе, дорогой мой, Марьяшки! Не будет, и все! Ты в Ялту собрался? Ну, значит, мы едем. Сдавай и квартиру, и дачу сдавай, а мы будем в Ялте курортниц разглядывать! Небось, там и лучше Марьяшки найдем! Мой муж ведь везунчик! Всегда был везунчиком!

Переслени усмехнулся и слегка поцеловал ее в основание шеи, отогнув воротничок.

— Чудесно ты пахнешь. Шанель? Сен-Лоран?

— Ты не заработал еще на Шанель!

— Вот в Ялте мы и заработаем, Лара.

— А с Верой что делать?

— Возьмем с собой в Ялту.

Она даже рот приоткрыла. Отец! Ему было все и всегда безразлично. Он был центром этой счастливой вселенной, и каждая мошка ему подчинялась.

— Да как мы возьмем? Она учится здесь!

— Там будет учиться. А там что, не люди? А можно совсем не учиться — я сам буду с ней заниматься.

— Ты? Чем?

— А это вообще не суть важно. Ну, Тютчевым.

— Каким еще Тютчевым?

— Федором Тютчевым. Хотя лучше Гоголем. Это смешнее.

Первый раз в жизни ей захотелось ударить его. Но она не знала, как это делается. Что? Просто поднять вот так руку и хлопнуть? На лице ее мужа появилось выражение недоумения, как будто он шел по песку или гальке, горячей от солнца (уже, значит, в Ялте!), и вдруг натолкнулся на снег.

— А может быть, лучше я ей позвоню? — спросил он задумчиво.

— И позвони! И делай с ней сам все, что хочешь! Мне тошно!

— О'кей. Тогда я позвоню ей сегодня.

Отец позвонил, и они встретились у памятника Долгорукому. Марк Переслени не видел своей дочери почти два месяца и теперь еле узнал ее. Она вытянулась и выглядела так, как будто только что поднялась с постели после тяжелой болезни. И не в том дело, что она была очень худа, а, может быть, даже вся истощена, а в том, что в глазах у нее было много того слишком жадного, жгучего блеска, который всегда отличает людей, болевших без всякой надежды на то, что кто-то им может помочь и от боли найдется хотя бы на время лекарство.

— Hi[1], папа! — сказала она.

— Hi, дочка! — сказал Переслени. — Голодная? Будем обедать?

— Я ела. Только что. Пойдем лучше кофе попьем.

Они вошли в закусочную и заняли свободный столик у окна.

— Ну, как ты? — спросил он.

— Нормально.

— Ой, врешь!

— Зачем тогда спрашивать, если я вру?

Переслени усмехнулся, глаза стали длинными и равнодушными.

— Тогда я тебе скажу новость: мы с мамой решили отправиться в Ялту.

— На отдых? — спросила она.

---

[1] Привет (*англ.*).

— Пожить, поработать. На годик, а может, и больше.

— Езжайте. Раз надо — так надо.

— Но мама-то ведь без тебя ни на шаг.

Теперь усмехнулась она. Точно так же.

— Поедет, поедет. Ты уговоришь.

— Послушай-ка, Верка, ведь что-то случилось.

Она посмотрела в упор:

— Ничего.

— Ну, это неправда. Опять соврала!

Переслени понизил голос до шепота и, перегнувшись своим небольшим и ладно скроенным телом через столик, спросил:

— А ты не беременна? Нет?

Она покраснела.

— С какой это стати?

— Бывает.

— *Тебе* это важно? — она засмеялась.

И он засмеялся. Их смех был похожим, глаза одинаковыми.

«Возьму вот и все расскажу!»

Не было ничего нелепее, чем *все* рассказать отцу, которого она видела не больше, чем пять-шесть раз в году и который съехал с их квартиры на «Спортивной», потому что ее появление на свет помешало ему. Отцу, которого Лина Борисовна не называет иначе, как «садист» и «мучитель», и от которого мама столько лет не находит в себе силы уйти. Она вдруг поняла маму: отец был таким же, как Андрей Андреич Бородин.

Осенившая ее догадка казалась абсурдной, но женский инстинкт не подвел. Таких, как отец, никогда не бросают, бросают других, эти сами уходят, но их не пускают, за ними бегут, а если зима — увязают в снегу, и вслед им кричат, не стыдясь и надеясь.

— Нет, я не беременна, нет, не волнуйся, — сказала она. — Но ведь дело не в этом. Беременность — что? Ерунда! Аборт можно сделать.

— Э, нет! Не скажи! — он сморщился весь. — Как аборт? Это смерть. А я сколько раз сам был на волосок...

— Ты? На волосок? От аборта?

— Дурацкая шутка. От смерти.

Никогда они не разговаривали так странно и так пристально не всматривались друг в друга — как будто упала стена между ними.

— Но мне жить не хочется, папа. Мне плохо. И если я только решусь, я тогда...

Он побагровел, перегнулся и с силой тряхнул ее так, что она закачалась.

— Молчи и не смей! Доиграешься ты!

— Что значит «не смей»? Эта жизнь ведь — моя?

— Надеюсь, не только твоя.

— Чья тогда? Бабулина, может быть? Или твоя?

Он левой ладонью накрыл ее руку. Ладонь у него стала мокрой, горячей.

— Я думал об этом.

Она напряглась.

— Ну, папа? И что? Говори! Что молчишь?

— Ты знаешь, когда я пытался уйти...

— Да, знаю! Мне мама сказала, как ты...

— Три раза пытался. И кто-то меня всегда останавливал или спасал. А кто, я не знаю.

Она испугалась: отец ее был совсем не таким, каким раньше казался. И *этот* отец ей был, кажется, нужен. Нельзя было взять и его отпустить, нельзя, чтобы он ее снова забыл, нырнул в свою жизнь так, как будто они и не говорили с такой откровенностью!

Тогда она все рассказала ему. Про Бородина и про их поцелуи, про то, как он вдруг испугался старух, сказал ей, что ждать еще нужно два года, а ей отвратительна трусость и слабость... Потом рассказала про турка: как он все время кладет на порог им цветы и как он ей вдруг предложил «погулять»...

Она замолчала и вся покраснела.

— И что? Ты пошла с ним гулять? — У отца был странный, глухой и простуженный голос.

— Нет. Я с ним пошла к нему в комнату. И...

— И что? — Но отец не смотрел на нее, как будто бы Веры и не было рядом.

— И все. Ну, ты сам понимаешь, *что* «все».

Отец весь согнулся, как будто его ударили палкою и убежали.

Она разрыдалась.

— Я жить не хочу! Он так мне противен! Мне все так противно!

До сегодняшнего дня Переслени редко вспоминал о ней. Он существовал, вот и все. Писал иногда поострее других, но очень брезглив был и лезть на Олимп, где все давно схвачено, он не желал, просить не любил, был немного ленив, а может быть, даже и болен: тоска его все же мучила, как ни крути, и он пил лекарства, чтоб не тосковать и чтобы не лезли проклятые мысли. Жена обожала его, он привык и к Лариной ревности, и к красоте, поэтому часто себе позволял случайные связи, чтобы острота какой-то, пусть и небольшой, новизны его развлекла бы на день или два, но женщины были ему не нужны — никто, кроме Лары, а Лара его (он знал это!) будет терпеть до конца. У них была дочка. Она, как и он, любила красивые тряпки, духи. Когда были деньги, он ей покупал. Он брал ее изредка то на концерт, то просто в кино, то кормить лебедей. Она была копия Лары лицом, но он иногда узнавал в ней себя и этим гордился, как всякий отец. Любил он ее? Нет, наверное, нет. Вернее сказать, он не думал об этом.

Сейчас эта дочка рыдала, и он не знал, как помочь ей. Душа разрывалась. Найти, где живет этот турок, убить мерзавца, который ее осквернил? Не понял, что ей и пятнадцати нет, раздел, уложил, причинил эту боль! Учителя тоже хотелось убить. Он, может быть, даже опасней, чем турок.

Его серглазая дочка закрыла руками лицо, и кудрявую прядку засунула в рот, чтобы плакать потише. Хотелось вскочить, убежать, заглушить любым громким звуком ее этот плач. И, может быть, раньше он так бы и сделал. Когда это раньше? Когда не любил. Он даже не понял, как это случилось. Когда она вдруг проскользнула в него и он ощутил ее слезы внутри? Он был так свободен всегда ото всех. Одна только Лара. Но Лара не в счет, она ведь жена, часть его самого, она и взвалила его на себя, как хвороста воз, вот она пусть и тащит! А дочка сказала: «Я жить не хочу». Теперь он не сможет забыть этих слов.

КНИГА ТРЕТЬЯ

ГЛАВА I

Когда Вера призналась отцу, что ее всю переворачивает от отвращения при воспоминании о том, что произошло между нею и молодым рабочим, приехавшим обновить их нуждающийся в хорошем и добротном ремонте дом, она не преувеличила. Отвращение составляло бо́льшую часть ее нынешних ощущений, но зато если бы теперь Бородин опять начал говорить, что ничего нельзя, потому что она «девочка», она бы ему так ответила: «Да что вы? Какая я «девочка»?

И гордость ее бы восторжествовала. Пускай через кровь, через огненный стыд, но Вера ему отомстила бы. Учитель, однако, молчал. Она стала так редко появляться на уроках, что администрация обрывала Ларисе Генриховне телефон, угрожая отчислением и требуя медицинские справки. Лариса Генриховна, пользуясь связями мужа-драматурга, задаривала администрацию театральными билетами. Билеты они принимали, конечно, но вот телефон продолжал разрываться.

При этом вокруг все шептались о том, как переменилась сама Переслени. Ее лихорадило всю, а глаза, утратив свою серебристость, вдруг стали туманными, пьяными, словно она случайно прошла мимо школьного зеркала и в нем не узнала себя. По этим глазам было очень понятно, что школа ей осточертела и что она и о вузе нисколько не думает. О чем она думает, бог ее знает. Наверное, все про любовь, но не так, как принято думать о ней чуткой школьнице, похожей на первый подснежник в лесу, на светлый ручей, отразивший березку, и даже на сок этой самой березки, поскольку любой, кому хоть один раз представился случай с такой чуткой школьницей где-нибудь поцеловаться, навек запомнил вкус девичьих губ и их влагу, которая выступила от волненья.

Новость, что учитель английской литературы Бородин переехал жить в Нагатино в однокомнатную квартиру, оставшуюся от родителей, выяснилась совершенно случайно: Миша Пышкин, плотный и кудрявый ученик Андрея Андреича, жил в соседнем подъезде и постоянно сталкивался с ним по дороге к метро. Вот так и узнали: от этого Пышкина.

— Да спит она, Верка, с Андреем Андреичем, — сказала развратная наглая Танька. — Уж вы мне поверьте: мой глаз-то наметанный.

Но Таньку всерьез принимать не привыкли, и многие просто назло ей решили, что Верка с учителем вовсе расстались. У Верки спросить не решались. И вдруг она позвала дуру Таньку домой и дома, блистая глазами, сказала, что переспала с одним турком, рабочим, которого видеть не может — тошнит.

— А что, это очень отвратно, а, Вер? — спросила ее простодушная Танька.

— Да, очень.

— А мне говорили — нормально.

— Наврали, не слушай, — сказала ей Вера.

— Так что же тогда все с ума посходили по этому сексу?

— Да где посходили?

— А мама моя?

— Ну, она притерпелась.

— Не знаю, не знаю, — задумалась Танька, — она как-то нашей соседке призналась, что больше недели без секса не может.

Вера покрутила пальцем у виска.

— Ты лучше другое скажи: как мне быть? Что с турком-то делать?

— Пошли, да и все.

— Его так легко не пошлешь. Куда ни пойду, он уже тут как тут. Стоит и вращает своими глазищами.

Танька посмотрела на запутавшуюся одноклассницу: Вера Переслени сидела с ногами на диване, запустив обе ладони глубоко в волосы, и с отчаянием глядела в одну точку.

«А правда красивая! Вот ведь везет! — без зависти всякой подумала Танька. — Везет же красивым! Вон, турка поймала».

— Послушай, отбей его, Танечка, а? — сказала несчастная Вера. — Ну что тебе стоит? Оденься красиво и сядь там, на лестнице. Я его знаю! Он тут же придет.

— Вер, ты что, ненормальная?

— Я очень нормальная! Танька, давай! Ведь ты его, Таня, наверное, полюбишь! Он сильный, хороший, уедешь с ним в Турцию, тебе же ведь хочется встретить кого-то! А тут само в руки плывет!

— Что плывет?

— Не «что», Танька! Кто! Кто плывет!

— Кто плывет?

— Как «кто»? Парень, Танька! Непьющий, не русский! Еще года два и поженитесь, правда!

— Но он ведь башку от *тебя* потерял?

Тут Вера задумалась, но на секунду.

— Башку он найдет. Я другого люблю.

И так она хрипло, таким странным голосом сказала «люблю», как стихи прочитала.

— Андрея Андреича, да?

На это она не ответила вовсе, но так посмотрела на Таньку, что та поджалась и даже немножко струхнула.

— Поможешь?

— Попробую. — Танька вздохнула. — Но ты мне его хоть сперва покажи. А то, может, просто придурок какой-то...

— Пойдем посидим во дворе, он придет.

Подруги тихонечко вышли во двор, уселись на свежепокрашенной лавочке. Вера Переслени оказалась права: молодой и горячий Исмаил с ведром, полным этой густой, синей краски, немедленно выскочил из-за угла и начал топтаться на месте, как конь.

Развратная Танька прищурила глаз:

— А что? Очень даже...

— Сиди, не вставай! — сказала ей Вера. — А я в магазин.

Глаза опустила и сразу ушла. Танька облизнула губы, чтобы блестели, и обеими руками растерла щеки: на них появился здоровый румянец. Боясь расплескать густо-синюю краску, турецкий рабочий приблизился к ней — хотел, видно, что-то спросить и стеснялся.

— Вы время не знаете? Сколько сейчас? — шепнула она и испуганно вспыхнула.

— Четыре, — ответил Ислам неохотно. — А дэвушка Вера куда уходила?

У Таньки запрыгали пухлые губы:

— Не знаю, куда. Я за ней не слежу.

Черные, маслянистые глаза его безучастно скользнули по ее крепенькому небольшому телу, скуластым щекам, босоножкам и челке, немного лиловой от сильного солнца.

— Вы ждете ее? — прошептала она.

Он шумно и гордо затряс головой. Тогда она встала, одернула юбку и медленно, плавно пошла, поплыла, как лодочка в море плывет, и нырнула под арку, где пахло недавним дождем, и там перепрыгнула сизую лужу, и там разрыдалась внезапно и горько, и сразу ослепла от собственных слез.

Милые и дорогие читатели! Вас, наверное, настораживает, что мои герои то плачут, то сильно бледнеют, то вдруг заливаются жарким румянцем. Вам, может быть, кажется, что мы живем иначе: и сдержаннее, и независимее. А вы ошибаетесь. Горек наш мир, и боли в нем много, и много обид, а уж как дойдет до того, чтобы мы расстались с надеждой, любовью и верой, то тут только камень не плачет. Да, камень. Хотя и про камень не очень понятно.

И я вот хожу и смотрю на людей: они что-то держат в душе, как штангисты, которые подняли до половины вспотевшей груди неподъемную штангу, а дальше — никак. Но и бросить обидно. Вон судьи на лавочке! Только и ждут, когда ты, весь сморщившись и исказившись, ладони свои разомкнешь, и вся тяжесть, согретая потом твоим, твоей кровью, мозолями рук твоих, рухнет на землю.

Не надо бояться. Бросайте — и все.

ГЛАВА II

Ночами Бородину не спалось. Иногда он думал, что Елена за все эти долгие годы его приучила к теплу своей кожи, и он спал спокойно, вжимаясь в плечо ей, и даже во сне теребил ее волосы, как дети, бывает, во сне теребят пушистых игрушечных мишек и зайцев. Но разве все это так важно? Пускай другие вцепляются в жен и подружек, а он, Бородин, постоит у окна, высматривая в заволоченном небе звезду — золотую, дрожащую, юную. Она и мигает ему сквозь туман, сквозь длинную ночь, сквозь небесные волны.

Он почти не сомневался в том, что они с Верой созданы друг для друга и, как только возраст позволит жениться, поженятся сразу. Можно, конечно, удивляться этому человеку: при всей безусловной порочности мыслей, при всем эгоизме своем и упрямстве, при том, что он бросил и не пожалел жену свою и малолетнюю дочку, в нем все же была — как бы лучше сказать? — слегка сумасшедшая, странная сила. Вот он переехал бог знает куда, остался без денег, в одних старых джинсах, с одной парой старых ботинок, но он ведь этого не замечал, он ведь ждал, и капли его ожиданья текли по жилам, сосудам, текли вместе с кровью, куски своего ожидания он глотал, словно ветренный воздух весенний, и каждый им прожитый день приближал немыслимое, небывалое счастье.

Трудно назвать романтически влюбленным человека, бросившего семью по причине вожделения. Причем и не женщины даже, а девочки, своей ученицы. Любил ли он Веру? А кто это знает? И сам он не знал. Он просто ее вожделел. Потому не смог жить с женой и не скрыл, что не может. Другие скрывают, хватает ума, и жизнь как река, в середине которой вскипает вдруг водоворот, а она течет себе дальше, и дальше, и дальше, и так далеко утекает порой, что даже не помнит о водовороте.

Шел май, продавали сирень у метро.

Он не приближался к ней, не разговаривал. Потому что иначе можно было сорваться, забыть обо всем, затащить ее в ту же самую или какую-нибудь другую подворотню и впиться опять в эти крепкие губы. Бородин зажмуривался и представлял себе, как они выбегают из подворотни, он хватает такси и привозит ее к себе домой. А дальше наступала такая яркая и пронзительная чернота, что все обрывалось внутри. Лишать ее девственности он не станет. Но он будет ждать. И она будет ждать. На то и судьба, чтобы ждать, ждать и ждать.

Он привык, что Переслени демонстративно пропускает его уроки, но в четверг, одиннадцатого мая, Вера неожиданно пришла и села на место отсутствующей в этот день скуластой Таньки. Обсуждали роман знаменитого английского писателя Сомерсета Моэма «Бремя страстей человеческих».

— Что вы можете сказать о характере главного героя? — глухо и отрывисто спросил Андрей Андреич, опуская глаза.

Переслени подняла худую руку.

— Да, пожалуйста.

Он поднял глаза и увидел ее в огне очень сильного майского солнца. Лицо ее было все освещено.

— Какой он герой? — возразила она, — он кукла. Какой он герой?

— Почему вам так кажется? — спросил Андрей Андреич.

— Милдред не любила его, — объяснила ученица. — А он постоянно делал так, что она зависела от него и была с ним рядом. Он изводил ее этой своей любовью, и он не давал ей дышать. Вот весь «героизм».

— Это неожиданная точка зрения, — пробормотал он. — Что же, по-вашему, делает человека «героем», так сказать, если мы не говорим об экстремальных ситуациях, таких, как война, например?

— О таких, как война, говорить просто незачем, — она усмехнулась. — А в жизни и так постоянные войны, стреляй не стреляй, все равно все поранены. А этот... Ведь он словно дразнит ее: иди-ка сюда, я тебе помогу... А может, ей просто сам вид его тошен? От этого тоже ведь можно свихнуться! Когда постоянно живешь с человеком, а он тебе хуже, чем кость рыбья в горле?

— Да, в этом вы правы, — сказал Бородин. — Нормально живешь, когда любишь. Вы правы.

— А если вот любишь, но с ним не живешь? Блеск глаз ее стал нестерпимым.

— Не все ситуации просто решаются, — заметил Бородин. — Вернемся, однако, к роману.

ГЛАВА III

Оставшись одна, то есть без мужа, с семилетней Васенькой и семидесятилетней матерью, Елена первым делом принялась скрывать от подруг и соседей свое новое положение. Одним она говорила, что они решили продать квартиру в Нагатино, поэтому Андрей Андреич в основном живет там, наблюдая за текущим ремонтом, другим объясняла, что он пишет книгу, поэтому требует уединения. Третьим врала, что у Андрея Андреича началась аллергия на мощно расцветшие здесь, на Тверской, березы и липы, поэтому он и поехал к себе, в простое и лысое это Нагатино. А люди и верили ей, и не верили. Одним доставляло удовольствие смотреть, как эта красивая, с очень гладкой и матовой кожей молодая женщина, краснея и бледнея, пытается объяснить, почему муж бросил ее, и порет неловкую чушь. Другим было жалко ее, и от жалости они притворялись, что верят. А третьи и вправду ей верили.

Дни проходили. Он не возвращался. Она его выгнала. Он это принял. Добился свободы, ничуть не страдал. Страдала она и боялась, что мама заметит, как ей тяжело. Но генеральша, грешным делом, была рада, что нет лупоглазого зятя в квартире, и даже сходила к гадалке. Та ей подтвердила, что зять не вернется, а дочка со временем встретит другого. К тому же военного и человека, во всех отношениях очень достойного.

— А Васю-то он не обидит? Военный? — спросила доверчивая генеральша.

— Зачем же? — певуче ответила та, — свои пойдут детки. На всех сердца хватит.

И мать успокоилась: все-таки *свой*. Значит, будет порядок, и грязную обувь будет снимать в коридоре, а не в спальне.

Васенька не успевала соскучиться без папы, поскольку каждый день встречалась с ним в школе, а по воскресеньям — прошло всего-навсего три воскресенья — отец ее брал то в кино, то гулять. Они уходили. Елена ложилась одна в своей спальне, пытаясь заснуть. Но сон не спускался к ней, слезы душили. Она видела перед собою лицо Андрея Андреича, горящее все изнутри, будто лампочка, но только огонь этот не относился ни к ней, ни к ребенку.

Она не спала и ждала, пока он вернется из Парка культуры, и Васенька, сияя, расскажет, как там хорошо и как они с папой все время смеялись. Он будет неловко топтаться в передней, потом быстро чмокнет ее и уйдет. И так это было три раза. Елена заснуть не могла, и печальные мысли — такие, что даже и слез уже не было, — ее оплетали, как скользкие водоросли.

Она почему-то вспомнила, как однажды, когда они вместе с мамой и отцом отдыхали на Клязьме, к ним прибилась собака. Собака была молодой и веселой, почти что щенок, ярко-черноволосой, с коротким хвостом и доверчивым взглядом. Отец почему-то назвал ее Дашенькой и тут же решил, что возьмет ее в город. Елена была вне себя от восторга. Отец деловито надел поводок на шею счастливой собаки и грустно, как будто он вспомнил о чем-то, сказал: «Пойду погуляю с сироткой».

Елену гулять не позвал, и она стояла у низкой калитки, смотрела, как оба, отец и собака, идут, как будто бы знают куда, по траве, и желтые лютики блеском своим ласкают и гладят то спину собаки, то руку отца, когда он наклоняется и треплет ее по широким ушам. Через три года умер отец, и, как только его похоронили, вечером того же дня умерла Дашенька. Легла на подстилку, слегка похрипела, дрожа вдруг запахшим землей крупным телом, и вскоре затихла.

Прошло много лет. Почему же сейчас, когда муж и дочка пошли в Парк культуры, Елена, закрыв глаза сгибом руки, услышала голос отца так, как будто отец был поблизости, и в темноте пронзительно вспыхнули желтые лютики, а сквозь желтизну их, сквозь шелковый блеск она разглядела отцовскую руку, и спину собаки, и то, как собака, оскалясь от счастья, все лижет и лижет отцовскую руку своим языком?

Ночами становилось особенно тяжело. Главное было не давать воли воображению, не помнить о нем. Отрубить навсегда. Даже во сне она пыталась контролировать себя, но воля ее вдруг слабела: Елену как будто подхватывал ветер, ее уносило вперед и бросало в шумящую, черную пропасть. Она обмирала, и сразу казалось, что вот-вот она должна встретиться с мужем, и все в ней дрожало и билось от счастья. А вскоре она узнавала его: мелькали, мелькали везде эти двое, и голые руки взлохмаченной школьницы сжимали горячую спину Андрея, и он в черноте этой громко, нарочно, как будто боясь, что жена не расслышит, кричал своей маленькой рыжей любовнице: «Ты что? О-о-обожди-и! Обожди-и-и! А-а-аа!»

ГЛАВА IV

Иван Ипполитович не мог знать о том, что происходило в душе Переслени, и меньше всего подозревал, что этот эгоистический и к тому же не вполне уравновешенный человек внезапно полюбит свою дочку Веру. Ему даже в голову не приходило, что и Переслени способен любить, поэтому этот известный профессор, решившись на очень недобрый поступок, поехал в Дырявино.

Весна, и к тому же не жаркая, свежая, всегда украшает любую природу, и даже дома — хоть лачуги, хоть хижины — как будто бы преображает: не видишь их жалких, прогнувшихся крыш, окошек, ослепших от долгого снега, их вылинявших и потертых ступенек, а видишь залитое солнцем жилище с сиреневой гроздью, прижатой к карнизу, как будто кусок завитка из прически. Дырявино тоже казалось красивым, хотя вид дырявинских тощих курей, бегущих с истошными криками в темень дырявинской буйной крапивы с желаньем чего-нибудь там поклевать, чтобы выжить, погреться на солнышке и народить несчастных цыплят, обреченных на муку, — вид этих курей вызывал содрогание. Такое, что сердце прохожих сжималось.

Несчастным вообще было местом Дырявино. Как будто его кто-то проклял по глупости. Петрушка с укропом, и те загнивали на хилых и серых дырявинских грядках, а уж огурцы урождались такими, что хоть их в Нью-Йорк посылай: там бывают, сказали мне, выставки разных уродств. Порою, конечно, родится на свет кривой и при этом горбатый огурчик. Ну что? Не выкидывать же! Ешь и плачешь. Но чтобы вот целое поле — такое? Кривых, и горбатых, да и несъедобных? Про помидоры уж не говорю: до розовости даже не дозревали, какие-то в них заводились клещи, а может быть, черви, так что приходилось съедать их зелеными с привкусом гнили. Я, честно сказать, никому не советую ехать на отдых в деревню Дырявино. Хотя говорят, там река, там купанье, а рыбы там сколько, что невод не выдержит! Откуда сейчас, в наше время, вдруг невод? А вот вы и не удивляйтесь: да, невод. Поскольку в Дырявине время другое, и люди другие, и рыбная ловля.

Светало, когда Иван Ипполитович въехал в жутковатое это местечко на своем очень скромном и небольшом «Мерседесе». Дырявино крепко спало, только две какие-то подгулявшие, малоинтересной внешности девицы с размазанной по щекам краской, сняв туфли и обнажив свои неухоженные деревенские ноги, с глупым смехом старались перепрыгнуть через большую, в перламутровых разводах, знаменитую на весь свет дырявинскую лужу. Девицы возвращались из расположенной в ближнем перелеске армейской части, где их переполнили мужеским семенем и крепкими, как из железа, объятьями намяли их сдобные, белые талии. От этих событий они разомлели и шли сейчас, припоминая подробности.

— А мой говорит: «Да сымай ты свой лифчик! На что, — говорит, — мне твои кружева!»

— А ты что?

— А я что? А я говорю: «Тебе он мешает, вот ты и сымай!»

— А он что?

— А он что? А он говорит: «Порву я твой лифчик к собачьим чертям! Такая застежка, что руки сломаешь!»

— А ты что?

— А я что? Откуда я помню? Гляди, что осталось от этого лифчика!

И, вынув откуда-то грязную тряпку, ее показала глазастой подруге. Та расхохоталась и чуть не упала.

— Зверье — мужики! Скажи, Катя, зверье! А все ж таки как ты без них проживешь?

— Так в песне про это, Аленка, и сказано!

И обе девицы, обнявши друг друга, запели давно устаревшую песню:

> На тот больша-а-а-ак на перекресток
> Ужо-о-о не надо больше мне спешить!
> Жить без любви-и-и, быть может, просто,
> Но как на свете без любви-и-и про-о-ожить![1]

Иван Ипполитович с грустью посмотрел на падших этих деревенских женщин и, высунувшись из окошка своего «Мерседеса», спросил у них, как ему отыскать Валерию Петровну Курочкину. Девицы остановились в недоумении:

— Что? Бабу Валерию? На что она вам?

— Неважно. Нужна, — он был сух, лаконичен.

— А если нужна, так езжайте, езжайте. Доедете до сельсовета, увидите тропку в низину, по этой вот тропке идите, идите, идите, идите.

---

[1] Слова песни Н. Доризо.

И тут ее дом, ведьмы этой, и будет. Паршивый такой и неприбранный весь.

— А адрес вы знаете?

— Адрес мы знаем: низина, дом бабы Валерии. Вот вам.

Никому, уверяю вас, не пойдет на пользу тот образ жизни, который выбрали себе эти нетрудолюбивые девушки. И короткий разговор Ивана Ипполитовича с ними только подтверждает мою правоту. У девушек, судя по всему, не было никакого образования, может быть, даже и полного школьного среднего образования у них не было, поэтому ответ их оказался несуразным, а сама манера разговаривать, глупо хихикая и строя при этом нетрезвые свои глазки городскому человеку, вызвала в профессоре Аксакове небольшое раздражение. Он, однако, справился с этим чувством и поехал дальше, как они сказали ему. Доехавши до сельсовета, какого-то тоже по виду нетрезвого, с торчащим в одном из окошек скелетом сухой, давно мертвой рождественской елки с обрывками ваты и разного золота, он притормозил и поставил машину. Увидел тропинку, ведущую вниз, откуда противно запахло болотом. Болото действительно было большое, заросшее, и не вода, а словно бы жирное черное масло, которое булькало в разных местах, когда на поверхность его вылезала какая-то живность, весьма неприятная. Прямо у болота стоял тоже черный, как будто он много раз побывал в огне и все-таки справился с ним, осевший на бок дом с закрытыми ставнями и не подавал никаких признаков жизни. Когда-то дом этот был обнесен забором, но доски его обвалились, и по-прежнему прямо стояло только несколько кольев, так что все вместе это архитектурное сооружение напоминало старческий рот, крошащийся, темный, прогнивший, в котором осталось всего два-три зуба.

«Не может она жить здесь и ночевать! — подумал профессор Аксаков. — Ведь тут по ночам-то, наверное, страшно!»

Он очень и очень ошибся.

— Пришел, милый Ваня! — услышал он прежний, но слабый и тоже как будто прогнивший весь голос. — Боялась: помру и не встречусь с тобой. А видишь, какая я сильная, Ваня? Опять ведь тебя примагнитила, бедный.

Она стояла на рассыпавшемся крыльце, опираясь на палку, и радостно своими когда-то розовыми, а сейчас погасшими, еле заметными глазками смотрела на него.

— Ну что? Проходи, раз пожаловал, Ваня. Конфеток привез мне? Люблю я конфетки.

Иван Ипполитович жалобно развел руками: конфеток при нем не нашлось.

— Ну, так побалакаем. Без угощенья. Чайку даже нету тебя напоить. Совсем пропадаю я в этом Дырявине. Народ непутевый, без образованья. Одни в голове баловуньки, и все.

Профессор Аксаков поднялся по шатким ступенькам в сырую избу. Посреди избы стоял большой колченогий стол, и на нем, прикрытый газеткой от мух, лежал кусок черного хлеба. В углу была, как полагается, печь, вся серая от пауков в паутине, а рядом топчан, на котором темнели две плоские сиротские подушки.

— Я знала, что ты меня, Ваня, полюбишь. Уж как ты тогда на меня, Ваня, пялился! Буквально ведь глаз не сводил! Я отца просила, просила: «Позволь нам жениться! Помрет без меня мой профессор, помрет!» Но ты, Ваня, знаешь отцовский характер, — она неожиданно скорчила рожу и двумя худенькими пальчиками изобразила рога надо лбом. — «Не сметь! — говорит, — в тебе кровь не людская! За лешего лучше отдам, чем за этого!» Вот так все и вышло. Теперь леший сватает.

Иван Ипполитович попятился к выходу.

— Да нету его! Ты чего напугался? Он дед-то хороший. Придет, Ваня, ночью, напустит мне тут мокроты на кровать и ну давай нежиться, ну миловаться! А я ведь его не люблю, хоть ты режь! Глаза все исплакала. Ну не люблю! «Оставь ты меня, говорю, по-хорошему. Найди себе пару: русалку какую, царевну болотную, их тут полно! И будете жить-поживать, может, детки пойдут, все такие красавчики, такие забавные, рыбоньки, хвостики!» А он — ни в какую! «Ответь, говорит, взаимностью лучше, а то утоплюсь!»

Она перевела сиплое дыхание и замолчала. Иван Ипполитович покрылся холодным липким потом.

— Конечно, похоже, — снисходительно махнула ручкой Валерия Петровна. — Все эти истории, как один очень влюблен, помирает, а этот, второй, он не очень влюблен и в сторону смотрит, — у всех все одно. Но ты, Ваня, тихий. Ты, Ваня, паук. Тебя в паутине-то не разглядишь. Запрячешься, глазки очками прикроешь, и нету тебя, весь в науку ушел! А там, под наукой-то, что у тебя? Ох, ты непростой! Ох, ты, Ваня, и склизкий! Костюмчик надел, а такое задумал! Я, как поняла, так ведь вся и скривилась! Я порчу-то не насылаю, Ванюша. Побаловалась, наигралась, и ладно! От этого все мои денежки кончились! Народ любит порчу наслать друг на дружку! Приходят ко мне: «Помоги, баба Валя! Того изведи да того изведи!» Младенцев, бывает, и тех не жалеют! Родится младенчик у крали-разлучницы, они и кричат: «Изведи! Изведи!»

— А вы что? — спросил вдруг профессор Аксаков.

— А я что? Сперва изводила, конечно. Теперь говорю: «Обожди. Не хочу». Они мне еду начинают носить: «Ах, ах, изведи!» Тушенки военной вон мне нанесли. Откуда нарыли? Войны-то ведь нету. А что мне тушенка? Я травки возьму да с хлебцем поем, мне тушенки не нужно.

Валерия Петровна умильно посмотрела на него погасшими глазками.

— И ты ведь сейчас, Ваня, станешь просить: «Ах, ах, изведи! Ах, пущай он помрет!»

— Кто: он?

И Аксаков весь похолодел.

— А скрытный ты, Ваня! — она захихикала, — сам муку придумал себе и страдаешь! На что там глядеть? Одна кожа да кости. А я, Ваня, если его изведу, тебя-то я ведь не спасу этим, милый!

— Меня? Почему? — прошептал он наивно.

— Иди, Ваня, я тебе что покажу.

Валерия Петровна открыла небольшой ларец, стоящий прямо на полу у печки. В ларце были выцветшие женские фотографии.

— Отец мне принес. «Погляди, говорит, мои, говорит, все любимые доченьки. И все, как одна, на любви погорели. А я, говорит, упреждал! Упреждал! Хотел поберечь! А они, говорит, как пчелыньки, все на варенье: «Ах! Ах! Летимте, летимте!» И что? Прилетели. Одна, говорит, удавилась в петельке, другая — под поезд: такую нашли, что стыдно людей, говорит, ребры с мякоткой. А третья спилась, говорит, от тоски. А я упреждал! Я берег их, просил! Ведь *тем-то, небесным,* ведь им наплювать. «Бери, говорят, их себе и жалей!» А я и жалею. Моя плоть и кровь».

Валерия Петровна победоносно посмотрела на профессора Аксакова.

— Я все-таки не понимаю... — Аксаков дрожал и справиться с дрожью не мог. — Вот карточки эти... Они довоенные? А Лара откуда? И эта, и эта... Вот эта ведь Лара?

— Они, Ваня, все одинакие, вот что. У всех одна косточка. Не больше, чем мой ноготок, а уж колется! Во здесь, посередке, — Валерия Петровна провела ладошкой между своими еле заметными грудями. — Ух, колется, Вань!

Они помолчали.

— Ты, Вань, не его, ты ее изведешь! В ней жизни осталось на самом на донышке. Вот хочешь, сочту тебе, сколько в ней жизни?

Аксаков отпрянул

— В ком? В Ларе? Не смейте!

— А хошь, я секретец тебе расскажу? Придвинься, не бойся.

Придвинулся ближе, вдохнул слегка горьковатого запаха ведьмы.

— Мы, Ваня, добрее. Вот ты к нам пришел, и я тебе все объяснила по-честному! А *те*-то ведь злые! На нас говорят, а сами-то, Вань! Вот родился младенчик. Они на него — шасть всем небом! И с той стороны подлетят, и с другой! Не знают ведь, Ваня, что делать с людьми! Вот люди от них и бегут! А куда? К отцу моему, потому что он добрый. Он из человека веревку не вьет. Дышать человеку дает, вот ведь что! В них ласки-то нету, одна только ругань.

— Пойду я, — сказал вдруг Иван Ипполитович. — Болит голова. Очень сильно болит.

— Риньген, Ваня, сделай. — И Курочкина деловито ощупала голову Ивана Ипполитовича маленькими, холодными ручками. — А ну, как в мозгу колтуны завелися? Сердечко проверь, а то черви залезут, детишек своих там червивых наделают. И все! И пропал человек! И пропал!

— Вы верите в ад? — прошептал ей профессор.

— А как же не верить? — она удивилась. — В аду хорошо. Отец меня в детстве водил, как в театр. Мне очень понравилось. Чисто, тепло. Сидят голышом, никого не стесняются. Компанию водят. Не то что у вас. У вас, Ваня, в клиниках ваших, противно. Вот я побыла там, и я говорю: тоска у вас в клиниках, Ваня, ужасная! Ни песен попеть, ни сплясать, ничего! А там у нас с папой все время веселье! Никто не скучает, там всем хорошо!

Иван Ипполитович, не говоря больше ни слова, большими шагами пересек избу и вышел. Валерия Петровна выскочила за ним.

— Любовь, Ваня, — жуткое дело! Ух, жуткое! Во гробе достанет! Нигде не укроешься! А вы все: «Таблетку! Укольчик! Таблетку!» Вот я посмеюсь, Ваня, вот посмеюсь! Долечитесь вы! Упреждаю, долечитесь!

Аксаков вдруг остановился.

— Постойте... Вот вы говорите «любовь». А если прожил человек без любви? Спокойно,

166

достойно... Имея семью... Но... как бы сказать? Без страстей. Что тогда?

— Тогда он мертвяк, Ванька, твой человек! Заглянешь под кожу, а там одни мухи! И так, знаешь, тихо жужжат: «Жу-жу-жу! Зачем, мол, мертвяк, ты на землю пришел? Таких же, как сам, мертвяков наплодил...»

Иван Ипполитович не стал дослушивать. Валерия Петровна широко раскрыла морщинистый пепельно-розовый рот:

— Ты наш, Ваня! Наш! Заходи! Помогу! Конфеток тогда привези! Как заедешь, конфеточек мне привези! Пососать!

ГЛАВА V

С каждым днем воздух становился все теплее и лучезарнее. Везде продавали клубнику, черешню, из дальних краев завезенные в Россию. На вмятинах в сером асфальте стояли согретые солнцем молочные лужи. После второго урока независимая и повзрослевшая Вера Переслени подошла к кудрявому однокласснику своему Мише Пышкину. Пышкин был хотя и кудрявым, как овца в горах Анатолии, но никаким успехом у женщин не пользовался. Успех — это тоже ведь странное свойство: бывает, что ростом нисколько не вышел, и зубы плохие, и волосы жидкие, а женщины — стыдно признаться — дерутся за этого жидкого и невысокого. Себя забывают и женскую гордость.

Она подошла, и бедняга смутился.

— Ты знаешь, — сказала ему Переслени, — ты здорово так у доски отвечал.

Он даже не понял.

— Я дома вчера билась с этой задачей, а ты просто гений, Мишаня.

Порола она, разумеется, чушь, но зубы ее так блестели, белели, так ярко сияли глаза ее серые, что Пышкин весь замер.

— Ты мне помоги, — небрежно сказала ему Переслени. — Возьми меня, а? Геометрию делать?

— Ко мне?

— Ну, Миша, к тебе! Да, к тебе! Что такого?

— Но там, знаешь, Верка, там мама, сестренка...

— Они мне нисколечко не помешают. Я, Миша, вообще никого не боюсь.

При всей своей детской дурацкой наивности он, Пышкин, был все же задуман мужчиной. И он это вдруг очень остро почувствовал.

— Поедем, конечно, — сказал он с надеждой.

В метро она молчала. Она не смотрела на Пышкина, словно его вовсе не было рядом, как будто вообще никого рядом не было. Ее задевали, толкали и даже дышали в лицо ей, смотрели на ноги. Она была просто сама по себе, чужая всему, как Евгений Онегин. Зато дорогу от метро до облупленного и тощего серого дома запомнила сразу.

— Какой твой подъезд? — спросила она у кудрявого Пышкина.

— Шестой, — сказал Пышкин.

— Он тоже в шестом?

— Кто он? — спросил Пышкин.

Она разозлилась.

— Учитель наш, Миша! Он тоже в шестом?

— Он? Нет. Он в четвертом.

— А ты на каком этаже?

— На втором.

— А! Ну, так и он на втором.

— Нет, он на девятом.

— Ах, ладно! Неважно, — сказала она.

Миша Пышкин распахнул перед нею дверь своего слегка зловонного, хотя его вымыли месяц назад, салатного цвета подъезда.

— Ты знаешь, я что-то не в форме сегодня, — сказала она. — И давай лучше завтра.

— Но завтра суббота...

— Ах да! Ну, неважно.

И вдруг убежала. Это было ее особой, весьма неприятной и странной привычкой: вот так развернуться и вдруг убежать. И не оглянуться ни разу.

Побежала она, однако, не к метро, как огорченно решил Пышкин, а спряталась рядом с лотками и стала смотреть на потоки людей, спешащих домой после долгого дня. Через час она увидела Бородина, спокойно и задумчиво идуще-

169

го по общей для всех дороге. Чужой, независимый и непонятный, он шел, ел какую-то сдобу с вареньем, и выпуклые голубые глаза смотрели не под ноги, не на людей, смотрели они в синеву между ветками и с той синевою шептались о чем-то, хотя весьма трудно шептаться без слов. Она осторожно последовала за ним, держась на приличном расстоянии, подождала немного, достала зеркальце из сумки, быстро оглядела в нем свое лицо и вскоре вскользнула в четвертый подъезд.

Если вы меня спросите, дорогие читатели, был ли у нее какой-то заранее продуманный план, я просто плечами пожму. Я не знаю. Наверное, был. А быть может, и не было. Одно мне приходит сейчас в голову: она была так влюблена, что все кошки, орущие ночью от страсти, — те кошки, которые делают невыносимой жизнь пенсионеров, рабочих и школьников, те бедные, зеленоглазые кошки, которые землю готовы прогрызть, желая достичь неземного блаженства, — так вот: по сравнению с тем, что творилось сейчас в ее детской и женской душе, бездомные и сладострастные кошки, их вопли отчаянья, мощные стоны, утробные, громкие их зазыванья, — ну просто ничто. Даже сравнивать глупо.

Она позвонила в обшарпанную дверь и громко глотнула горячего воздуха. Андрей Андреич, школьный учитель и специалист по английской литературе, неторопливо открыл ей. Он был босым и успел уже намочить под краном волосы и лоб — день был очень жарким, и многие люди вообще погружали себя кто куда: кто в воду фонтана на Пушкинской площади, а кто даже в сизые волны Москвы-реки, спустившись по временем стертым ступеням.

Он открыл дверь, и Вера Переслени сразу же перешагнула порог, слегка оттолкнув его. Безумие было на лицах обоих, какая-то тьма, дым какой-то, как будто внутри человеческих тел их горели леса, и поля, и долины, и взгорья.

— Зачем ты пришла? — прошептал он.

— Затем, — сказала она и припала губами к его пересохшим раскрытым губам.

Когда они проснулись, была очень черная, теплая ночь. В окно их светили растерянно звезды, как будто и звездам пришло уже в голову, что этим двоим будет трудно помочь: они и проспали четыре часа одним существом, двухголовым, сплетенным и пальцами рук, и ногами, и бедрами, блестящими сально от пота, так вжавшись друг в друга, что странно, как бедра их не поломались при этом.

— Ответь мне, — сказал он, — кто он?

— Да неважно!

Он сжал ее голову:

— Кто он?

— Он турок. Пусти. Ты мне щеки раздавишь.

— Да я бы тебя всю вообще раздавил! Ты что, влюблена была в этого турка?

— Кто? Я? Влюблена?

— Тогда как ты могла?

— Скажи мне: «Тебе ведь пятнадцати не было!» Ну, что ты молчишь?

— Я боюсь тебя, слышишь? Избил бы тебя, а боюсь.

Она вся прижалась к нему:

— А не бойся. Я сделала это для нас, для тебя.

— А я здесь при чем? — он ее оттолкнул. Лицо его было отчаянным, жалким.

— Ну, чтобы ты не был ни в чем виноват. Что это не ты меня... Что я не *девочка*...

— А что: если *девочка*?

— Ты говорил, что мы тогда будем ждать год или два. А я не могла больше ждать, понимаешь?

Он рывком натянул на себя джинсы.

— Легла под какого-то турка, а я тебе еще должен быть и благодарен?

— Нет, дело не в турке.

— А в ком?

— В нас с тобой.

— Тогда объясни! А иначе убью, — он скрипнул зубами.

Она засмеялась и сразу же стихла.

— Ну, хочешь, убей. Только дай мне сказать. Я просто не знала, ну, что еще *сделать!*

Учитель стоял истукан истуканом. Она осторожно прижалась к нему. Он был словно каменный, не шевелился.

— Я правда не знала, — вздохнула она. — Я очень люблю тебя. Очень, ужасно.

— Скажи, — прошептал он, — но только не ври! Ты сделала это для нас? Для меня?

Она закивала, и тень от ее большой головы на стене, освещенной холодной, но яркой луною, подобно цветку внутри ветра, рассыпалась обилием всклоченных, пышных волос. И снова сплелось, слиплось, вжалось друг в друга так сильно, что кажется невероятным, как это опять они не поломали себе и ни ребер, и ни позвонков.

ГЛАВА VI

Лариса Генриховна не спала, и Лина Борисовна не спала, и Марк Переслени не спал. Лина Борисовна не спала в своей большой квартире неподалеку от «Спортивной», а Лариса Генриховна и Марк Переслени — в квартире покойных родителей Марка, оставленной сыну по праву наследства.

— Звони! — мокрым грудным шепотом приказывала Лариса Генриховна. — Звони в Склифосовского!

— Ну для чего? Я знаю, что с ней ничего не случилось.

— Тогда где она? Где она? Почему она не берет телефон?

— Да не хочет!

— Как это «не хочет»?

— Не хочет, и все. Ей не до тебя.

— Где она? Говори! Ты что-нибудь знаешь? Он грустно вздохнул.

— Да, может, и знаю.

— Так как же ты смеешь! Она задохнулась.

— Лариса! Поверь, я знаю не все, но она... Все в порядке. Никто не убил ее, не изнасиловал.

— Ты хочешь сказать, что за все эти годы... пока я и мама... мы с ней надрывались... А ты только пьесы писал и меня в могилу сводил! И за все эти годы... она нам НЕ верит? Тебе вот сказала, а нам ничего не сказала! Мы что? Мы не заслужили доверия, что ли?

— Я тоже не знаю всего.

— Что ты *знаешь*?

— Я знаю, что Вера влюбилась в учителя.

— В какого учителя? Где он живет? Муж пожал плечами.

— Молчишь? Ну, молчи, — прошептала она, — скажи мне другое... Уж если она с тобой откровенна, ты, может быть, знаешь. Она с ним уже, что ли, спит или как?

— Не знаю, — ответил он честно. — Не знаю. Надеюсь, что нет.

— Почему ты надеешься?

— Мне кажется, он — жуткий трус, этот парень.

— А с совестью как там?

— Ну, совесть в подобных делах...

Она перестала качаться.

— В подобных? В подобных делах? Это дочка твоя! И ты говоришь мне «в подобных делах»?!

И тут позвонила их дочка. Сказала, что едет домой от подруги. В такси. Да, денег ей хватит. Они занимались, случайно заснули и только сейчас вот проснулись, ну, мама, зачем сразу плакать, ведь это бывает, и если бы что-то случилось, то, мамочка, тебе бы уже сообщили из морга.

КНИГА ЧЕТВЕРТАЯ

ГЛАВА I

«Раскрылась земля, и оттуда, из щели, вдруг хлынул огонь. Он пожрал насекомых, цветы и растения, и птиц, и животных, потом подобрался к жилищам людей и начал и их обращать в серый пепел. А были ли люди внутри? Люди спали, обнявши друг друга, и многие даже стонали во сне, но никто не проснулся, никто не сходил за водою к колодцу, ничто не мешало кровавому пламени».

Так заканчивалась первая глава. Андрей Андреич писал лихорадочно и старался только, чтобы ни одно слово из тех, которые он чувствовал внутри, не пропало. Состояние всего его существа было таким странным, как будто бы он вылезал на поверхность из толщи глубокой и мутной воды. Он знал, что он пишет роман. Большой, мускулистый и, может быть, странный. И он будет жить, станет частью природы, воды, и земли, и румяного света, который дарило июньское солнце, немного досадуя, что день так короток и вскоре наступит другой — звездный свет.

Он писал книгу, названья которой еще не услышал, и книга была вся пропитана Верой, хотя он писал о себе и о детстве, о пьянице-отчиме и об отце, которого в жизни ни разу не видел. Ей было пятнадцать, и тело ее, к которому он постоянно стремился, как тот, кто бредет по пустыне один, стремится к воде, и мечтает о ней, и чувствует холод ее на губах, хотя еще долго идти по песку и долго глотать раскаленную дрожь прозрачного этого зыбкого воздуха, — да, тело ее стало центром всего.

Он писал себя самого, двухлетнего, которого мать вместе с отчимом купали в корыте на кухне, чувствовал распаренные красные руки матери и приятный, щекочущий ноздри запах водки изо рта отчима, и все это не имело никакого отношения к Вере, но только без Веры он и не пробился бы к пене в корявом корыте, не вспомнил бы ни вкусного запаха водки из рыжего и волосатого рта, ни этой расплавившейся в глубине прожитого времени желтенькой уточки, которую кто-то умело слепил ему из простого горячего воска. Это благодаря ей, а лучше сказать, ее телу, он так переполнился звуками, красками и новым, особенно чувственным, жадным сознанием и ощущением жизни, когда все становится выпуклым, четким и так обостряется каждая мелочь, что ею нельзя пренебречь. Писал он легко, возбужденно, и ночью, когда он ложился в постель, казалось, что даже в постели он все еще пишет. Он и засыпал в середине строки.

Себе он сказал, что он любит ее. Но, в сущности, слово ведь мало что значит. И как, например, человеку удобнее использовать ложку, когда он ест суп, хотя и без ложки нашел бы он способ расправиться с супом, так вот и ему удобнее было сказать, что он любит, когда он держал ее в этой постели, ласкал ее грудь, и кусал ее губы, и не отпускал до тех пор, пока сам не чувствовал, что почти спит, засыпает.

Дойдя до метро, Вера сразу звонила:

— Ты любишь меня?

— Да. Конечно, люблю.

— Тогда почему ты мне сам не звонишь?

И голос ее становился стеклянным от этих готовых заранее слез.

Ему уже очень хотелось работать. Уже набегали какие-то строчки, но, если он сразу же не говорил, что думал о ней, что он любит ее, что как доживет до утра, сам не знает, она ведь могла бы и не отпустить, она, с ее цепкостью и подозреньями, могла бы звонить и звонить до тех пор, пока он не скажет того, что ей нужно.

И он говорил, чтобы вновь стать свободным. Опять появлялись покойники: мать, и пьяница-отчим, и папа-философ, который мог, кстати сказать, быть живым. Но только вот где? Проще было считать, что он тоже мертв. Потом приходила *она*, сама Вера. Она пролезала сквозь узкую щель и вдруг занимала собой все пространство.

Могла не сквозь щель, могла просто в окно, разбив в нем стекло и порезав все пальцы. Он чувствовал вкус ее крови и запах, как только что чувствовал вкус ее губ и запах ее ярко-желтых волос, пока они вместе валялись в постели. И он начал путать: где текст, а где жизнь.

В жизни Вера Переслени приносила ему не одни только радости. Впрочем, и это слово так же не подходило, как и все слова, которыми он пользовался в разговоре с нею: «любимая», «радость», «люблю». Не радость была, было что-то другое. Была словно очень короткая смерть и следом за этим — испуг, что однажды он и не очнется. Она зажимала ладонями рот. Сначала себе, а потом и ему.

Ей очень хотелось заставить его себя ревновать. Однажды он приревновал, и она была в самом глупом и детском восторге. Сценарий она сочинила сама: сказала, что тащит тяжелые книги и просит, чтобы Бородин ее встретил. Он бросил работу и вышел встречать. Увидел, что Вера идет не одна. С ней рядом, вспотевший от этой жары, кудлатый какой-то, шел парень в наколках. Конечно, она познакомилась с ним, пока сюда ехала. Он разозлился. До самого дома шел сзади, пытаясь расслышать весь их разговор, но она смеялась так громко, что это мешало.

Дойдя до ступенек, она протянула кудлатому руку. Кудлатый опешил. Тогда Бородин, обогнув их обоих, открыл дверь, вошел и уже из подъезда втащил ее внутрь. Пока ждали лифта, она все смеялась, хотя на лице был испуг. Он молчал.

— Ну, что ты молчишь? — прошептала она.

Ему захотелось ее придушить. Потом он вдруг вспомнил: она же ребенок. Избалованный, раздраженный ребенок, который растет у него на глазах.

«... Я говорил себе, что эта страсть — плод моей фантазии, моего длительного уединения и отсутствия настоящих привязанностей. Она заняла в моей жизни место, которое не было предназначено ей, а должно было быть занято матерью и отцом. В крайнем случае человеком, заменившим мне моего родного отца, которого я не видел никогда в жизни. Смерть матери я помню так ясно, как будто это случилось вчера. Мать варила кофе в турке. Она любила очень крепкий кофе, и даже когда у нас совсем не было денег, одалживала у соседей, чтобы купить хотя бы сто-двести грамм кофейных зерен.

«Кофе должен быть черным, как ад, крепким, как смерть, и сладким, как любовь», — говорила она. Я запомнил, как появились первые сердитые пузырьки на гладкой черной поверхности, и вдруг мать упала. С тех пор я ни разу не выпил ни одного глотка кофе. Мне кажется, что не вари она кофе — она бы жила до сих пор».

Кусок получился хорошим, но он еще не придумал, куда его вставить.

ГЛАВА II

Елена с Васенькой и генеральшей проводили лето на даче. Бородин приехал всего один раз, второго июня, а потом как в воду канул. Звонил, извинялся. Поскольку всегда ненавидел вранье, то и извинялся без объяснений.

— Прости, собираюсь приехать. Но только попозже. Сейчас не могу.

И врать приходилось Елене.

— Болеет. Сказал, что ангина.

— Да хоть бы совсем провалился! Нам что? — шептала в сердцах генеральша. — Ребенка вот жалко, ребенок извелся!

Васенька и в самом деле переживала, что он не появляется. Однажды, уже засыпая, сказала:

— А папа меня разлюбил.

Елена чуть не разрыдалась:

— Ты что! Он просто болеет.

— Я знаю, — серьезно и тихо ответила Васенька, — он, может быть, даже умрет. Жалко папу.

— С чего ты взяла? Все болеют ангиной.

— А он не ангиной, наверное, болеет.

— Откуда ты знаешь?

— Я видела сон, — и Васенька села в кровати. — Сначала я думала, что не скажу. Но, мамочка, я не могу не сказать. А вдруг он мне снова приснится?

— Кто? Сон?

— Нет, папа на черных ногах.

Кровь бросилась в голову так, что Елена закрыла глаза.

— Не спи, мама, правда — на черных.

— Каких ногах, Вася? Ты что говоришь?

— После того, как папа тогда приехал, — дрожащими губами заговорила Васенька, — и мы так играли с ним. Так хорошо! Ты дома была, а мы с ним забрели на старое озеро. Знаешь? С кувшинками. И папа нашел там дырявую лодку. Не очень дырявую, правда, но все-таки. Она, к сожалению, даже без весел. И мы в нее сели.

— В дырявую?

— Мама! Но там везде дно. Там, если захочешь, и то не потонешь.

— А дальше? — спросила Елена.

— И папа штанину свою закатал и просто ногой оттолкнулся. Но там же болото, не очень ведь озеро. Нога стала черной-пречерной. А он засмеялся. Сказал, что все жители Африки — черные. И если их всех окунуть в молоко, в кефир и сметану и там подержать, никто из них не побелеет. Потом мы лежали на дне этой лодки, и папа рассказывал мне...

— Что рассказывал?

— Сначала про Африку. Так интересно. Потом он сказал: «Хочешь сказку? Она называется «Wonderful Land».

Васеньку с раннего детства учили английскому. В обучении Бородин проявил несвойственную ему строгость, и надо признать, что добился успеха: в свои восемь лет она говорила легко и свободно на этом чужом языке.

— Он что, по-английски с тобой говорил?

— Да. Сказку он мне рассказал по-английски. Но очень простыми словами, я все поняла.

— Ты мне расскажи про свой сон, хорошо? — тихонько сказала Елена.

— Про сон? Я сейчас расскажу. Вот мы с ним сидели на этой вот лодке, и он мне рассказывал сказку... И было... Ты, мама, пойми. Было так хорошо! Он не приезжает сейчас, а я помню.

Она не плакала, даже не всхлипывала. Больнее всего было видеть, как она прижимает к груди свои маленькие руки, — к коротенькой, синей в горошек пижамке она изо всех своих сил прижимала горячие, плотно сплетенные пальчики, — и смотрела не на Елену, а куда-то вверх, сквозь потолок, построенный из больших сосновых бревен с уцелевшими на них каплями сизо-желтой смолы. Новая, никогда прежде не испытанная ею ненависть к мужу подступила к горлу Елены.

«Я позвоню ему сама, — с яростью подумала она. — И я все скажу. Я скажу: «Как же ты...»

Она не успела придумать, что скажет.

— Мама! — прошептала Васенька, — ты только не говори папе, что я тебе пожаловалась. Я ведь просто рассказываю, что нам было очень тогда хорошо, в этой лодке. А сон был такой неприятный! Я даже боюсь спать ложиться.

— Так что тебе снилось?

— Я тебе сказала, что когда папа опустил ногу в это болото, то вся нога у него стала черной. И мне это так и приснилось: что все мы куда-то идем. Ты, папа и я. И он говорит: «Land of India»! А мне так становится сразу смешно, и я еще думаю: «Как это Индия? Откуда здесь Индия?» А там, где мы шли, очень много цветов и всяких деревьев, но странных каких-то, как будто и вправду мы в Индии. И папа сказал мне: «Давай я тебя понесу, ты устала». И он закатал свои брюки почти до колен. И я вдруг увидела черные палки. Не папины ноги, а палки! Так страшно.

— Забудь, моя доченька! — Елена зажмурилась. — Это ведь сон, во сне много глупостей снится, забудь. А папа приедет совсем-совсем скоро. Мы завтра ему позвоним, и ты его спросишь, как он себя чувствует.

Она легла рядом с Васенькой и крепко обняла ее. Васенька заснула почти сразу, но горькое и одновременно терпеливое выражение на ее детском лице испугало Елену больше, чем даже нелепый ее, странный сон, почти повторивший все то, что Елене приснилось самой зимней ночью, в больнице.

ГЛАВА III

В Дырявине произошло неожиданное событие: скончалась их местная ведьма, исчадие ада Валерия Курочкина. Дырявинцы, люди доверчивые и простодушные, были до последней минуты уверены, что Курочкина никогда не умрет. И поэтому, когда в поисках пропавшей своей черной кошки одна из дырявинских жительниц по имени Клавдия забрела ранним утром в низину, где и располагался покосившийся и неприбранный дом Курочкиной, она чуть не упала в обморок, увидев умершую. Тут я, однако, сделаю шаг в сторону и предоставлю слово самой этой честной, отзывчивой Клавдии.

— Иду я и Мурку-то кличу и кличу! Такая стервозная стерва! Куда побегла? Ну, кличу и кличу: «Мур-мур! Шу-шу-шу!» Она, стерва, любит, когда ей шушукают. И так вот до Валькина дома дошла. Нет, думаю, к ведьме ни в жисть не зайду! Она, правда, странная женщина, Валька. Ну, мы-то все знаем, что ведьма из ведьм. А к ней, говорят, из Москвы приезжали, она, говорят, непростая была. В мозгу у нее много было чудно́го. Дошла, значит, я до ее огорода, а там ведь какой огород? Один мусор, одни лопухи да крапива, и все. И вдруг вижу: Валька! Лежит, как принцесса. Сама, значит, белая, руки сложила, и платьице чистое. Ну, будто на праздник. Я думаю: спит. А она не шелохнется. Я перекрестилась и к ней подошла. А как я взяла да и перекрестилась, у Вальки лицо стало злое-презлое.

— Да как же у мертвой-то? — испугались дырявинцы, — она же креста твоего не увидела!

Клавдия победно поджала небольшие и аккуратные губы.

— Так ведьма же! Ведьмы наш крест православный и мертвыми чуют.

Дырявинцы грустно понурили головы.

— Тогда я ногой ее тронула, Вальку, и вижу: ну, все — померла.

— А кто ж ее на огород перенес?

— Откуда я знаю? А может, и леший?

— Да что ты, ей-богу! Она, значит, шла по нужде в огород да там и преставилась.

— Может, и так.

Обсудив в деталях каждое слово внимательной Клавдии, дырявинцы начали думать: а как хоронить теперь ведьму? Церкви своей в Дырявине не было, но честных и порядочных покойников возили отпевать в соседнюю деревню, а там была церковь и батюшка был хороший, но пьющий. Ведьму, каковой без всякого сомнения была Валерия Петровна Курочкина, отпевать было не только не нужно, но даже и очень опасно. Дырявинцы прежде никогда не сталкивались с умершими ведьмами и вовсе не знали, как им поступить, поскольку у ведьм есть досадное свойство назад возвращаться в бесовском обличье.

— В старые времена не церемонились, — сказал на собрании в клубе один бородатый дырявинец. — Их вот до войны-то ведь как? Очень просто. Берут, значит, ведьму, какая покойница, и в яму без всякого гроба. Лежи! И колом прибьют, чтобы не поднялась.

— Ну, скажешь, дядь Вася! — Дырявинцы дружно взмахнули руками. — Да кто ж это делать-то будет, чтоб колом? Она потом ночью возьмет да придет? И жахнет тебя самого этим колом!

Немногочисленная дырявинская молодежь, включая тех самых девиц, которые шлялись зачем-то к солдатам, сказала, что кол — пережиток отсталости.

— Взять да схоронить, как любую гражданку, — сказала дырявинская молодежь.

— Вот раз вы такие у нас головастые, — сказал дядя Вася, — вот вы хороните. А мы постоим да на вас поглядим.

Молодежь, как это часто бывает, оказалась очень боевой только на словах, а хоронить Валерию Петровну Курочкину не собиралась. Решили порыться в бумагах покойной: а вдруг где-нибудь и отыщутся родственники? Вот тут обнаружилось это письмо. Адресовано оно было профессору Ивану Ипполитовичу Аксакову, но марки наклеено не было, хотя адрес был, и написан разборчиво. Дырявинцы повертели в руках запечатанный конверт, не зная, что делать. И вдруг осенило опять дядю Васю:

— А может, он ей полюбовник-то, Вальке? Она была на передок ой слаба. Уж очень слаба была на передок! Бывало, пристанет, ее не оттащишь!

— Так пусть он ее и хоронит, как хочет! Пошлем ему это письмо и напишем, что так, мол, и так: померла ваша краля. Сегодня с утра померла. Обмыть мы обмыли, лежит на столе, но ждать мы не можем. Вот были б морозы, так дело другое: лежи, сколько хочешь. А тут, значит, лето. Такие дела.

Молодежь, однако, опять вмешалась и хором сказала, что нужно поехать по этому адресу, письмо вручить лично и сразу сюда притащить полюбовника, а то он, не дай Бог, порвет письмецо и сам улизнет. Знаем мы полюбовников. Те самые девицы, которые совсем не приглянулись Ивану Ипполитовичу в прошлый приезд его в Дырявино, сказали, что пусть им оплатят автобус и две электрички — они и поедут.

В четыре часа пополудни в кабинет Ивана Ипполитовича Аксакова, постаревшего от всех своих переживаний, заглянула секретарша, которая стала уж так сильно краситься, что больно смотреть.

— Иван Ипполитович, к вам тут пришли.

— Больной или родственник? Я назначал?

— Ни то, ни другое. Какие-то девушки.

— Зовите тогда, раз пришли.

— Иван Ипполитович! — секретарша подошла так близко к столу профессора и так фамильярно наклонилась, что запах духов, свежей пудры, помады заставил его слегка сморщиться. — Давайте я лучше скажу, что вы заняты. Какие-то странные, дикие бабы. Как будто из прошлого века. Кошмар!

— Зовите, зовите!

Покусывая от досады вишневую свою помаду, секретарша настежь распахнула дверь кабинета, и две эти дикие бабы ввалились. Конечно, он сразу узнал их. Еще бы! Дырявинцев — да не узнать!

— Чем могу? — спросил удивленный профессор Аксаков.

Вот им бы смутиться! Да хоть покраснеть! Ничуть и нисколько. Напротив: девицы, немедленно вытащив потный конверт, уселись вдвоем на объемистый стул и сразу же заговорили.

— А Клавдия Мурку свою потеряла. Пошла спозаранку искать. А только не Мурку нашла, нашла Вальку. Уже вовсю мертвую, на огороде. А это письмо мы у Вальки нашли. Ваш адрес написан. Так очень вас просим: приедьте ее схоронить, мы боимся.

— Я что-то не понял... Она умерла?

— Ну, мы ж говорим: померла в огороде. Пошла на заре в огород и... того... А Клавдия кошку искала, звать Муркой, она ваша Курочкину обнаружила.

— А я здесь при чем? — удивился Аксаков

— Письмо-то ведь вам, вы письмо почитайте.

Высоко подняв по своей привычке брови, профессор достал из конверта несколько крупно исписанных листочков.

«Ванюша, мой радостный, спешу попрощаться. Вчера говорила с отцом. Сказал, что пора собираться. А я еще даже и в лес не ходила, грибов себе на зиму не набрала. Теперь уж какие грибы! Там все собрались. Из наших одна я осталась, пора. Скажу тебе, Ваня, всю правду как есть: я, милый, тебя полюбила всем сердцем. У вас, Ваня, души, у нас — только сердце. Ведь мы, Ваня, бесы — на

что нам душа? Мне папа всегда говорил: «Не влюб-
ляйся. Сердечко свое надорвешь, не заметишь».
А я, милый, ловкая, но непутевая. Один раз влю-
билась, мне было пятнадцать. А он был с женой
и с троими детьми. Кудрявый такой и в совхозе
работал. Приехал к нам, к тетке своей, на помин-
ки. Они на поминках гуляют, дерутся, а я, Ваня,
только в окошко гляжу. И чувствую, словно по мне
кипяток бежит меж грудей. Я потрогала: сухо.
А он все бежит и бежит. Так только у нас, Ваня,
бесов, бывает. Я, милый, тогда уже много умела.
Пошла на болото, взяла разных травок, сварила в
горшке, потомила, присыпала. И снова к окошку.
Они все гуляют. Смотрю на него: весь хмельной
уже, красный, все кудри намокли, и пьет из горла́.
Понюхает хлебца и снова к бутылке. Ну, сил моих
нет: до чего мне по нраву! Я в эту избу и вошла
через сени. Там пьяные все, уж друг друга не видят,
а тут — молодая девчонка. Им что? «Иди, — гово-
рят, — гостьей будешь. Садися». Я села на лавку,
тут он подвалил. Облапил меня и давай целовать!
Аж дух захватило! Хмельной, Ваня, красный, себя
и не помнит, женатый, с детьми, козел ведь коз-
лом, а вот я полюбила. Настойки своей налила,
говорю: «Попейте-ка, дяденька, очень полезно». Он
крякнул и выпил. «Эх, дрянь, говорит, поди отра-
вить меня, ведьма, решила?» А я хохочу, заливаюсь:
«Куда мне!» Потом присмотрелась: а папа в окош-
ке. Стоит, опершись, и глядит на меня. И груст-
ный он, Ваня! Вот только не плачет. И пальчиком
мне погрозил. И ушел. «Ну, думаю, значит, такая

судьба». Мы вышли с кудрявым, легли с ним на травку и — все. А как его звать, я тогда не спросила. Какая мне разница, как его звать? Любовь очень помню: всю разворотил.

*Потом я к нему убегала в совхоз. А это не близко. Пешком убегала, в морозы, зимой. Бегу долго-долго, всю ночь, вся горю. «Ну, думаю, лягу сейчас на снежок, хоть охоложусь, хоть чуток отдохну». И тут же — отец. Черный весь, злой такой. «Куда? Отдыхать захотела? А ну! Сейчас тебя взгрею, вовек не забудешь!» Я дальше бегу. Эх, да что вспоминать! Пятнадцать годочков! Всего-ничего! Вот я ж говорила тебе, что у **тех,** у них ни забот и ни слез, ничего. Летают себе, только крыльями машут. А мы, Ваня, — точно такие, как вы. Я даже и разницы не замечаю».*

Иван Ипполитович опять почувствовал то же самое головокружение, которое почти всегда сопутствовало его встречам и разговорам с покойной Валерией Петровной. Он оторвался от письма и в страхе посмотрел на деревенских девушек. Девушки ответили на его взгляд с кокетливым простодушием.

— Она сейчас... где? — прошептал он с заминкой.

— Сейчас на столе. Мы ее положили и держим пока взаперти. Но ведь жарко. Еще день-другой и в избу не взойдешь.

— А что ж так? В больницу бы хоть сообщили...

— Так что нам в больницу? До этой больницы полдня почти ехать. А как отпевать? Больница в одной стороне, храм в другой. Вот мы и не зна-ем, куда нам податься. В деревне одни старики и живут. А из молодых только мы и два парня. Один без руки, а другой без ноги. Вы ж были в Дырявине! Вы ж не слепые!

Иван Ипполитович махнул рукой и снова при-нялся за письмо.

«Я видела, Ваня, что ты весь при ней, а я для тебя, что плевок на дороге. «Ну, думаю, ладно! По-помнишь меня!» А сердце болело, ух, Ваня, болело! Я после Москвы стала сильно хворать, меня в этом психическом их институте какой только дрянью не пичкали, Ваня! Совсем инвалидкой вернулась в деревню. А ты про меня, Ваня, вовсе забыл. Хоте-ла сперва тебе порчу наслать, а после так жалко мне вдруг тебя стало. «Пускай еще, думаю, он покуражится!» Ты, Ванечка, мой драгоценный, не понял, что это ведь я в твою дурью башку тог-да искушенье послала, ведь я! Вот ты ко мне с просьбой-то сразу приехал: хочу, мол, супруга ее извести, поскольку он только несчастья приносит. А я, мол, хороший, люблю ее, бедную, со мной она будет всем очень довольна».

Крупный пот выступил на лбу Ивана Иппо-литовича, и он опять взглянул на девушек, как будто боясь, что они, эти девушки, узнают, о чем он читает сейчас. Девушки, однако, вовсе и не наблюдали за Иваном Ипполитовичем, а с любопытством осматривали стены его массивного кабинета, увешанного портретами великих нейрофизиологов. Одна из них даже и не ограничилась этим, а взяла со стола профессора книгу английского ученого Чарльза Дарвина «Выражение эмоций у животных и человека» и начала осторожно перелистывать ее своими толстыми пальцами.

«Мне, Ваня, один тогда доктор сказал, что ваша наука такого добьется, что головы будут одним отрезать и к туловищам от других приставлять. И вроде как для сохранения жизни. А я его слушала и хохотала: пока вы друг другу там все пересадите, уж мы постараемся! Веселое время настанет, Иван. Ты в этом нисколечко не сомневайся».

Профессор Аксаков почувствовал, что силы его находятся на исходе, пропустил сразу две страницы и пробежал красными воспалившимися глазами своими конец адресованного ему письма:

«Поэтому я ухожу, драгоценный. Тоскливо мне стало, живу без задора. Любовь свою, Ваня, с собой забираю, а там уж как будет, мой милый, так будет. На все, Ваня, воля отца моего».

Подписи, однако, не было, и Иван Ипполитович, мысли которого суетились и бегали, как белые мыши, которых готовили к опытам, успел еще даже подумать, что очень для ведьмы, простой, деревенской, умело и складно написано.

— Ну, едете с нами в Дырявино? Че вы стоите? — спросила одна из девиц.

— Да, еду. Поеду. Конечно. — Иван Ипполитович засуетился. — Наверное, что-нибудь нужно купить?

— Закусок и выпить, — сказали девицы. — Конечно, помянем, хотя она... это... Но все ж таки...

— Да! И одеть ее нужно!

— Она же не голая! Что вы, ей-богу! Лежит очень даже чудесно одетая. Платочком ее повязали, ведьмулю. И платьице чистое. Чин чинарем.

Ехали долго. В Дырявино, правда, никто не стремился, но есть ведь места и помимо Дырявина: туда люди ехали. Кто на рыбалку, а кто по грибы. Были даже такие, что просто уселись и просто поехали. Машин на дорогах набилось — не счесть.

Добрались под утро, все спали в Дырявине. Блестели лишь горлышки битых бутылок при свете огромной распухшей луны.

— Отелей у нас еще тут не построили, — вздохнули девицы. — У ней-то изба ведь пустая стоит. Как хочете. Можно и там отдохнуть. Она вас не тронет.

— Кто? — Иван Ипполитович похолодел.

— Да Курочкина! Померла ведь она!

Профессор сказал, что поспит он в машине. Девицы, хихикая, вышли, а он откинул сиденье в своем «Мерседесе» и лондонскую темно-серую кепочку надвинул себе на глаза. Однако ему не спалось. Не только занятия наукой нейрофизиологией, которым он посвятил жизнь, но и все бытие его с безответной любовью к Ларисе Поспеловой, ненавистью к ее мужу, случайными женщинами, которыми он пользовался, как пользуются взятыми напрокат коньками или велосипедами, его эта громкая глупая слава — все было такой чепухой, что даже и думать об этом не стоило. И вот он сидит в «Мерседесе», надвинув на лоб свою кепку, а рядом в избе лежит эта женщина с четким диагнозом «последняя стадия острой шизофрении», поставленным ей в лучшем мединституте, но это она, сумасшедшая с горбиком, похожим на маленький детский рюкзак, одна только знала его подноготную, да так ее знала, что страшно становится.

На следующий день Иван Ипполитович поехал за священником. Священник, отец Никодим, был суровым, очень прямым, широкоплечим стариком, с немного дрожащими руками. Во дворе его дома стояла новенькая «Хонда». В Дырявино сказали, что машину отец Никодим не водит по причине частой нетрезвости.

— Конечно, ему не по чину лакать-то, — сказали дырявинцы. — Но так уж выходит: раз пьет человек, так он, значит, пьет. И нечего делать, и мы понимаем.

С Иваном Ипполитовичем отец Никодим держался холодно, но отпеть почившую Курочкину согласился.

— Я слухи-то знаю, — сказал он сурово. — Невежество наше и необразованность!

Приходили также из милиции и запротоколировали факт смерти. Иван Ипполитович покойной все еще не видел и в избу к ней не заходил. Неприятное ощущение, что та Валерия Петровна, которая лежит на столе, не имеет никакого отношения к настоящей Валерии Петровне, исподтишка наблюдающей за ним, не оставляло профессора. В церкви собрались все дырявинцы, поскольку убеждение, что «ведьма чегой-то устроит», глубоко укоренилось в их темной, весьма простодушной среде.

— Она вам покажет! — шептались дырявинцы, — она вам носы-то утрет!

Осенять себя размашистыми крестами они начали задолго до того, как из-за деревьев показалась стоящая на пригорке церковь села Урожайное. С урожайновцами, людьми прогрессивными, часто пользующимися мобильными телефонами, дырявинцы поссорились много лет назад, еще при царице Екатерине, и с тех пор глухая вражда и настороженность по отношению друг к другу не утихала.

— И очень прекрасно, что все *это* будет на ихнем участке, — бормотали нарядно одетые дырявинцы, приближаясь к церкви. — Вот так им и надо. Ведь ишь возомнили! Ни кожи ни рожи!

В церкви было жарко и, как показалось Ивану Ипполитовичу, сильно пахло сухими цветами. Гроб с почившей Валерией Петровной стоял на небольшом возвышении. Взяв себя в руки, Иван Ипполитович подошел попрощаться. Ничего коварного, хитрого или злобного не было на этом маленьком заострившемся и словно бы даже хорошеньком личике. Скорбно поджатые бесцветные губки Валерии Петровны, ее неплотно прикрытые, редкие, рыжеватые реснички, лисий носик и особенно прозрачные ее, маленькие, с черными венами, застывшие ручки выразительно говорили о том, что наш этот мир — с болотами и небоскребами, громкий, где вечно поют, и кричат, и ругаются, пекут пироги, обсуждают политику, воруют детей и рожают детей, — торжественный мир наш, хоть и суетливый, не имеет ничего общего с тем миром, а может быть, вовсе не миром, но *тем*, куда уплывала она в этом гробике, куда она вся устремилась сейчас, боясь, чтоб ее не вернули обратно, поскольку недавно умершим так страшно вернуться обратно и снова зажить своей надоевшей и прожитой жизнью.

Легкое смущение, как заметили собравшиеся, появилось на лице Валерии Петровны только к самому концу службы: она словно вдруг утомилась от этих ей, ведьме, не свойственных звуков молитвы. Однако терпела, мешать — не мешала.

«Ну, раз вам приятно, так что ж с вами делать?» — Читалось на этом хорошеньком личике.

Неожиданным образом, однако, повела себя не покойница, от которой можно было ждать чего угодно, а сам пьющий батюшка, недавно ругающий необразованность. Закончив служить, он вдруг беспомощно начал озираться по сторонам, потом принялся прямо в церкви снимать с себя рясу и крест православный, рубашку свою расстегнул и вдруг громко велел принести себе водки с капустой. Испугались и дырявинцы, и урожайновцы: даже для пьющего человека поведение отца Никодима не лезло ни в какие ворота. Слезы покатились по суровому, искривившемуся лицу батюшки, руки его задрожали еще больше, и он визгливо закричал, чтобы скорее закрывали гроб, а его везли домой, поскольку он все отработал и нынче ему много дел дома и по хозяйству.

«Ведь это же паника! — сразу подумал профессор Аксаков. — Ведь это же приступ! И, кажется, острый!»

Он быстро пробился сквозь столпившихся поселян и крепко взял под руку батюшку.

«Мне водочки... лучше... с капустой, приятель...» — судорожно забормотал отец Никодим, повисая своим крепким широкоплечим телом на руке Ивана Ипполитовича.

Иван Ипполитович оглянулся, и взгляд его упал на лицо Валерии Петровны, которую как раз собирались закрыть крышкой гроба.

«Ну что, милый Ваня? А я напоследок. Тебя посмешить, драгоценный ты мой!» — сказало ему это кроткое личико.

ГЛАВА IV

Война, которую начали азиатские народы против народов Римской империи, застала их на побережье. Война началась поздней ночью, когда они вышли к морю и он любовался, как ставшая тоньше и словно прозрачнее от этой любви, не дававшей им отдыха, она осторожно и тихо входила в искристую воду. Она окунулась, и в свете луны сверкнуло ее странно-тонкое тело с высокой и мощно развившейся грудью...»

Бородин заканчивал роман. Напряжение, переполнявшее его, было настолько сильным, что он начал бояться метро, где ему однажды вдруг захотелось броситься под колеса мчащегося поезда, лишь бы освободиться от этого напряжения. Он давно уже перестал писать то, что называется реалистической прозой, и теперь наслаждался открывшейся перед ним свободой. Она давала ему возможности не только перемешивать отдельные судьбы с судьбами всего человечества, потому что на последней глубине это оказалось одним и тем же, не только скручивать в одну косицу времена с их однообразно-жестокими войнами и грубо-веселыми мирными днями, она позволяла спасаться от страха, который томил его прежде, пока он не сдался и не уступил балованной и бесноватой девчонке, которая просто пришла к нему в дом и сделала то, чего он так боялся.

Вчера она сказала, что хочет принять ванну, но непременно молочную, как жены патрициев, о которых у него в романе оказалась небольшая вставка. Андрей Андреич понимал, что все ее сумасшедшие идеи были то ли отголосками уже написанного им, то ли смутными предчувствиями того, что он собирался написать. Она проникала неведомым образом под тонкую кожу романа, хотя Бородин и читал ей не все, но как-то она умудрялась стать частью не только души его, тела, но даже и этого текста его, где развилась свободно, как быстрая рыбка в реке.

— Ты хочешь потратить зарплату за месяц на эту молочную ванну? — спросил он.

— Я все забываю, что ты очень беден, — сказала она. — А что будем делать, когда я к тебе перееду сюда, родятся, наверное, дети, и как же...

— Ты видишь вот это? — И он показал на вечно открытый компьютер. — Я скоро закончу и буду богат.

— Ах, да! Я забыла, забыла! — и Вера вскочила с кровати.

В холодильнике был пакет молока. Оглядываясь на Бородина и сверкая своими ослепительными неровными зубами, она вылила его в ванну и открыла кран. Ванна быстро наполнилась мутноватой, нежно-голубой водой.

— Ну, все! Я пошла, — прошептала она и скрылась в молочной воде до подмышек.

Темнел только низ живота и соски ее этих полных и сильных грудей. Он молча стоял и смотрел. Нынче ночью, уже проводив ее, он написал, как тощая девочка входит при свете холодной луны в серебристую воду.

Им осталось продержаться еще один год. Чуть-чуть больше. Еще один год под угрозой уголовной статьи «Совращение малолетних с согласия малолетних», за которую давали срок от одного года до шести лет. Он все это знал, но следа не осталось от жгучей его, ежедневной боязни. Теперь лето было в разгаре, и вместе с цветением трав и деревьев они, срастаясь все крепче, цвели внутри лета и этой огромной цветущею пеной себя защищали, как будто стеною. Теперь он был в этом уверен. А Вера? Она то рыдала, вцепившись в него, то вдруг хохотала до колик, представив, как ловко они обманули весь свет и как никого им теперь и не нужно.

КНИГА ПЯТАЯ

ГЛАВА I

Николай Осипович Погребной жил со своей женой Евгенией Яковлевной, тоже Погребной, в квартире напротив Андрея Андреича Бородина. Неделю назад ему исполнилось восемьдесят лет, и праздник прошел очень тихо и вяло. Нельзя сказать, что полковник в отставке Николай Осипович так уж интересовался чужими делами, но этот вежливый, с выпуклыми голубыми глазами сосед раздражал его. Бывает так, что один человек вдруг начинает раздражать другого человека без видимой всякой причины. Хотя бы вот тембром охрипшего голоса. Хотя бы приставшей изюминкой к верхней, противно изогнутой, скользкой губе. Ну, кажется: что? Ел вот булку с изюмом. Под дождик попал и охрип. За что же меня ненавидеть, скажите? А вот ненавижу тебя, пропади. И дело не в булке, не в голосе хриплом, а дело в тебе и во мне. На земле двоим нам с тобой места нету. Запомни.

Подобное чувство всякий раз охватывало Погребного при виде Бородина, годящегося ему во внуки. Руки начинали трястись от злобы, и спину как будто огнем заливало. Но он опускал желчный взгляд и молчал, скрывался скорее за дверью квартиры. И, может быть, так продолжалось бы вечно, ни будь у него этой Жени, жены. Жена его, Женя, Евгения Яковлевна, сходила с ума от тоски. Ей было всего шестьдесят. Судьба отдала ей в супруги всегда раздраженного, с болезнью кишечника, вдового Колю, который был дважды женат до нее, и этот характер его, очень мрачный, свел первых избранниц в могилы столь быстро, что ей бы подумать сперва, подождать, людей бы поспрашивать — нет! Побежала! А ей сорока еще не было, дуре. Теперь вот и жили. Детей не нажили. К тому же весной она вышла на пенсию: устала, давление и щитовидка. Остались они с Погребным в этом склепе: двухкомнатной и небогатой квартире. Подруги при детях, при внуках, при дачах, у них с Погребным — никого, ничего.

Слава Богу, что она заметила, как в соседнюю квартиру, к этому замкнутому голубоглазому молодому человеку каждый день приходит какая-то девочка. Не женщина вовсе и даже не девушка. Лохматый подросток, вертлявая школьница. Евгения Яковлевна насторожилась. Жизнь сразу наполнилась смыслом. Девице не дать и шестнадцати: больно худа. А как не накрасится — сущий ребенок. Чего она ходит? Придет часа в два и сидит целый день. Потом он ее провожает, а лица у них полыхают, как маки в траве.

— Коля, — сказала, не выдержав, Евгения Яковлевна своему молчаливому, жилистому и неприветливому мужу. — Ты видел? К соседу-то ходит и ходит.

— Кто ходит? — спросил он и весь вдруг напружился.

— Откуда я знаю? Какая-то девочка. Я думала: может, уроки дает. Английскому учит. Но целый же день!

— Как так — целый день? — И он весь потемнел. — Какие уроки?

— А ты последи. — И голос ее стал фальшивым и нежным. — Теперь ведь какие творятся дела! Возьми да займись. А то только злишься.

Через два дня Погребной, вынимая из ящика газету, увидел, как из квартиры напротив выбежал Бородин и, не дожидаясь лифта, полетел вниз по лестнице. Николай Осипович бросил газету, вызвал лифт и, как был в тапочках на босу ногу, догнал голубоглазого соседа почти у самого метро. Бородин купил у старухи букет свежих астр и стоял, как только олени стоят на опушке: весь вытянув шею, моргая глазами, но не шевелясь и как будто бы слушая подземные гулы и пение ветра.

Прошло минут десять. Из метро появилась девочка в короткой юбке, с распущенными, еще мокрыми после мытья, пушистыми волосами, перехваченными золотистым обручем. Олень к

204

ней рванулся, взмахнувши букетом. Она засмеялась и сразу повисла на шее соседа, вцепилась в него, и замерли оба. Потом разлепились: как будто с трудом. Пошли уже порознь к дому, обратно. Погребной, шаркая тапочками, поспешил за ними. Они шли, не дотрагиваясь друг до друга, если не считать того, что девочка несколько раз провела по руке Бородина белыми и бордовыми астрами. Погребной почувствовал, как слабый кишечник его реагирует на все это спазмами и содроганием.

«О черт! Не хватало еще обосраться!» — подумал суровый полковник в отставке.

Побагровев своим неприятным лицом и особым образом, желая избегнуть физиологической катастрофы, переставляя свои жилистые ноги, он проследовал за ними до самого подъезда, но в лифт не попал, не успел, но заметил, с трудом проникая в подъезд и воюя с бедой, наступившей в дрожащем желудке, как щель между створками лифта сверкнула пушистыми прядями мокрых волос. И лифт, оторвавшись, как шар первомайский, уплыл, улетел, не достался ему. Не дай Бог бы кто-то вошел и увидел, как старый, весьма волевой человек, задумавший месть, справедливое дело, стоит, опершись на разводы граффити, которыми кто-то опять разукрасил их бледно-салатный, несвежий подъезд. Потом он услышал, как лифт в вышине издал птичий звук, странный даже для лифта, и мягко поплыл сюда, вниз.

«Хана! Обосрался! — почувствовал он. — Еще бы минута, и мог бы успеть!»

Увы, так и вышло. В кабину он вполз, горячий и влажный, и выполз обратно, и, обматерив все, везде, навсегда: и гадов морских, и орлов в вышине, и женщин с их гнусной продажной душою и телом их жадным, готовым к разврату, — прокляв всех и все, он прижался лицом к своей дерматиновой двери, рыча. И Женя, жена, театрально, как будто она и не Женя, а Майя Плисецкая, застыла, подняв свои длинные руки, воздев эти руки свои к небесам, на жалком пороге их душной квартиры.

Он не успокоился и через час, помывшись и выбросив тапки в помойку, опять, как злодей у Шекспира, подкрался к соседским дверям. Тишина.

Полковник прижался к замку правым ухом. В четыре жена позвала его есть, однако лицо ее было угрюмым, и он отказался. Он так и сидел: на корточках, старый, седой человек, сидел, ждал, терпел и дождался. Ура! Он вытравил их из квартиры, подобно тому, как клопов вытравляют из старых прогнивших перин. В пять пятнадцать открылась проклятая дверь. Они вышли вместе, обнявши друг друга, и голубоглазый казался слепым: он эти два шага от двери до лифта прошел так, как будто не видел ни зги. А было светло, стоял месяц июль.

От девочки пахло духами. Лицо накрашено сильно и губы в помаде. Спросить у нее: «Дочка, сколько тебе?» Жену подослать: «Сахарку не одолжите?»

Не впустят они, уж какой сахарок! Ведь носом же чувствую, что происходит, ведь вижу по роже его лупоглазой, что он эту девку и этак, и так! Да, надо сажать, надо быстро сажать, а то она вырастет, паспорт получит, и с гуся вода, с лупоглазого этого!

Всю ночь ему снились кошмары: жена внесла в дом ребенка.

— Откуда ребенок? — спросил он жену

— Что значит «откуда»? Оттуда! Где все, там и я!

— А ну признавайся! Ты с кем нагуляла?

— Понюхай. Не пахнет? — спросила жена.

Он нюхал ребенка. Ребенок был свежим.

— Оставим тогда. Я их всех перенюхала. Везли очень долго. И без холодильников. А лето, жара. Все арбузы прокисли.

— Арбузы? — И он снова начал дрожать.

— Арбузы, конечно. Ты что? Обосрался?

— С чего ты взяла? Я как был, так и есть.

— Глаза бы мои на тебя не глядели! У всех мужики на подбор, молодцы, один ты засранец, ни кожи ни рожи!

Полковник проснулся в холодном поту. Пощупал себя под трусами: все чисто. Левкоями тянет с балкона. Сажать! Сажать его, гадину! И поскорее.

ГЛАВА II

Турецкие братья Алчоба с Башрутом могли бы еще заработать в Москве — работы хватало и деньги платили. Московские девушки были веселыми. Месяц назад интернациональная бригада побраталась с женским коллективом кондитерской фабрики «Большевик». Устроили праздник. Москвички сперва воротили носы, потом подобрели, пошли танцевать, потом целовались в кустах возле фабрики. А пахли как сладко! Ванилью, цукатами. Алчоба, отец четырех сыновей и множества девочек, просто растаял. Башрут его в чувство, однако, привел.

— Алчоба, Ислам пропадает. Пора.

— Я знаю, Башрут. Пропадает Ислам.

— Закончим вот лестницу, деньги получим и сразу домой, дорогой мой Алчоба.

— А я бы остался, Башрут. Ненадолго.

— Нельзя нам, Алчоба. Ислам пропадает.

— Ты прав, дорогой мой Башрут. Пропадает. А видел ты Катю? Красивая, правда?

— Зачем тебе Катя? Ислам пропадает.

— Закончим тогда только лестницу, ладно? И сразу домой. Тебе нравится Катя?

— Алчоба! Красивая женщина, да. Но ведь пропадает наш брат, наш Ислам. А Катя, Алчоба, не носит платка. Лицо ее, брат мой, бесстыдно открыто.

— Я это заметил, Башрут, дорогой. У нас в Анатолии Катю бы эту побили камнями, а может быть, и забросали навозом. Ты помнишь, какой у нас свежий навоз?

— А помнишь, Алчоба, ты горную реку? А маки на склоне горы? А наш дом? Жена тебя ждет, дорогой мой Алчоба. Ислам пропадает. Пора уезжать.

Придя к полному согласию относительно своих будущих поступков, турецкие братья Башрут и Алчоба закончили перестройку и перекраску лестницы и тут же, забрав свои деньги, купили билеты обратно домой. Всем троим: Башруту Экинджи, Исламу Экинджи и тоже Экинджи Алчобе, влюбленному в ванилью пропахшую русскую Катю.

Реакция младшего брата Ислама была столь ужасной, неверной, жестокой, что Катю с ванилью забыли тотчас же. Увидев билет свой, Ислам побелел.

— Зачем это мне? Что еще за билет?

— Ислам, дорогой, все дела здесь закончены. Ты видел ведь лестницу? Как хороша!

— Езжайте одни. Никуда не поеду.

И сразу набычился, кровью налился.

— Поедешь, Ислам. Очень даже поедешь.

— Сказал: отойдите! Не троньте меня!

Башрут взял Ислама за смуглое горло. Алчоба скрутил его тонкие руки.

— Ты пьянствуешь, брат. С армянином к тому же. Позоришь семью. Ты поедешь, Ислам.

— Убью себя лучше, зарежусь ножом. Пустите меня! Я останусь в России!

— В России ты хуже таджика, Ислам. Нас не отличают от них, унижают. Вчера в магазине какой-то мужик назвал меня «чуркой». Ты слышишь, Ислам?

Ислам опустил свою гордую голову. Глаза стали мокрыми.

— Я с дэвушкой Верой поеду. Клянусь. А так — не поеду.

Алчоба вздохнул:

— Пойдем, дорогой мой Башрут. Что скажу.

— И я тебе тоже скажу, дорогой. Пойдем говорить. Подожди нас, Ислам.

Через пятнадцать минут братья вернулись обратно. Ислам неподвижно лежал на кровати.

— Мы будем просить ее мать. Всю родню. Они не откажут нам. Верно, Башрут?

— Конечно, Алчоба. Они не откажут. Мы турки, Ислам, дорогой. А не чурки. И дэвушка Вера поедет с тобой.

ГЛАВА III

Вечером, на следующий день, в дверь Лины Борисовны позвонили. Лина Борисовна все лето была в ужасном состоянии: Лариса, ее непутевая дочь, жена Переслени, замкнулась, как будто ей мать — злейший враг. А Вера не то что отбилась от рук, она стала просто почти невменяемой.

Вставала в двенадцать, ложилась в четыре, ни книг, ни газет никаких не читала. Компьютер забросила, он запылился, подруги ее больше не навещали, она их — тем более. Просили ее отдохнуть хоть на даче: там речка, и луг, и знакомые дети. Куда там!

— На дачу? Смеетесь вы, что ли?

Никто не смеялся, все слезы глотали. В двенадцать она быстро что-то съедала, потом долго красилась и уходила.

— Куда ты?

— Иду погулять.

— А куда?

— Какая вам разница?

— С кем ты идешь?

— Еще не решила.

— Ты хоть бы поплавала! Лето ведь, жарко.

— А я и поплаваю.

— Где?

— Где-нибудь.

И хлопала дверью. И все становилось беззвучным: таким, что только взмахнет вот крылом своим муха, и вы ее тотчас услышите. Страшно. Историй о том, как детей похищают, как целые баржи украденных девочек плывут далеко-далеко за границу, как в парках гуляют маньяки-садисты, как люди одни расчленяют других и, если им деньги нужны, то сдают изъятые органы темным делягам, а те их опять-таки переправляют куда-то в Америку или в Бразилию, — подобных историй вокруг было столько, что хоть к телевизору не подходи.

И Лина Борисовна не подходила. Ей очень хватало и без телевизора. Ребенок домой возвращался за полночь.

— Верунечка, где ты была, моя детка? — фальшивила бабушка.

— Ах, я не помню! Гуляла! Там так хорошо!

— Где, Веруся?

На это она пожимала плечами. Потом уходила в их старую ванную и долго плескалась, смеялась и пела. В четыре утра, наконец, засыпала. И так каждый день. Без покоя, без отдыха.

Итак, в ее дверь позвонили. Открыла. Стояли два турка, носы — как у коршунов.

— Ты — бабушка дэвушка Вера, скажи?

Она помертвела:

— Я бабушка... девушка... Что?

— Смотри на картина. Ислам на картина.

И в нос ей суют пару снимков. На снимках — Ислам, этот самый мальчишка.

— А Верочка где? Моя Вера жива?

Не поняли, переглянулись.

— Где Вера-а-а-а? — И ноги обмякли.

И тут подскочил — спасибо ему! — армянин дядя Миша. Как это ни странно, почти даже трезвый.

— Жива ана, очень жива! Нэ волнуйтесь! Они ее сватать пришли, вашу внучку! А русский язык — нэ радной их язык, нэ всо панимают, щто вы гаварите!

— Как сватать? Кого?

А турки кивают. Глаза их замаслились.

— Есть много картина. Смотри на картина.

Других пара снимков. Какая-то сакля. А может, не сакля. И рядом осел. Потом три горы, водопад и осел.

— Радное село, — объяснил дядя Миша. — Имэют хазяйства. Скот тоже имэют. Па нынешним-та врэменам и нэплохо. Зэмля людей может всегда пракармить.

— Вы что, все рехнулись? — И Лина Борисовна едва не захлопнула дверь.

— Пагади-и! — сказал дядя Миша и вдруг помрачнел. — Жила она с ним, твая внучка, жила!

— Как это... жила? Как вы смеете... Вы...

— Хател от тебя утаить. Нэ хател тебя агарчать! Если б дочка мая... Такое узнал... Я убил бы ее! А я нэ имею ни дочки, ни сына, семьи нэ имею, адин я савсэм!

И он горько всхлипнул. А Лина Борисовна схватилась рукою за сердце. Одни только турки остались стоять, ее прожигали своими глазами.

— Ты так нэ пугайся! Ты просто скажи: отдашь или нэт? Вот и вэс разгавор! Я думал, что раз уж такое случилось, так лучше па-честному. Ты нэ сагласна?

Тут Лина Борисовна все же опомнилась.

— Скажи им: спасибо за честь. Молода. Учиться ей нужно. Успеет ослов-то пасти. Обождем.

Отзывчивый Миша махнул рукой так, что братья все поняли. Глаза их потухли. Не оглядываясь на Лину Борисовну, Алчоба с Башрутом сбежали по лестнице, стуча каблуками турецких ботинок.

— Желаю вам, дама, харощива вэчэра, — сказал дядя Миша.

Слезами и криком закончился вечер. Неделю назад Лариса Генриховна уехала на дачу и увезла с собою Переслени, который опять все не спал по ночам, стоял у окна и глядел на луну, горящую белым огнем. Луна его мучила и изводила. Вот, кажется, что человеку луна? Где он, а где этот загадочный лик с провалами глаз, с лысым лбом, полузастланный каким-нибудь дымным, разорванным облаком?

А Марк Переслени стоял и смотрел. Бедная, ко многому привыкшая жена его, чувствуя, что прежнее веселое и энергичное состояние драматурга меняется, хотела, чтобы эти дачные розы и пение птиц, до того заполнявших задумчивый лес, что их крылья сливались с пятнистой листвою и часто казалось, что листья поют, а не птицы, — хотела несчастная Лара Поспелова помочь ему с помощью летней природы, поэтому даже и дочь свою Веру забыла на время и вся устремилась душою и телом к больному супругу.

Однажды, когда они оба сидели под вишней на клетчатом пледе и Лара с тревогой следила за тем, как мрачнеют глаза драматурга, раздался звонок.

— Лариса, ты знала, что Вера... — и голос родной ее матери дрогнул, — что Вера спит с турком? Ты знала об этом? И то, что ей только пятнадцать, ты помнишь?

Лариса Генриховна, ахнув, быстро зажала трубку ладонью и, вырвавшись из рук своего мужа, перебежала к другой вишне, осыпанной недозревшими ягодами.

— Молчи, мама! Я ничему не поверю!

Лина Борисовна подышала в трубку.

— Такое, — сказала она, — я не только что и ожидать от тебя не могла... такое случается раз в тыщу лет... Тебе говорят, а ты слушать не хочешь. Я руки свои умываю, ты слышишь?

Лариса заплакала.

— Лара, ты плачешь? — спросил Переслени, — опять тебя теща достала, Лариса?

— Ты можешь сейчас объяснить, что случилось? — спросила жена Переслени у матери. — Тебе кто сказал? Сама Вера сказала?

— Я Веру почти и не вижу, Лариса! — воскликнула мать, — она возвращается ночью! Глубокой! С последним метро! И все что угодно с ней может случиться! Ты думаешь, что? Я шучу или как?

— Сейчас я приеду, — сказала Лариса и вытерла слезы. — Мы вместе обсудим.

Легкими шагами она подошла к своему мужу, опрокинувшемуся навзничь в густой траве и сбившему клетчатый плед к корням вишни, и тихо сказала:

— Мне нужно уехать.

— Что? Вера опять? — спросил он, но даже движенья не сделал навстречу.

— Тебе безразлично? — она побледнела.

— А я тебе так объясню, дорогая: вот если мы даже с тобой сейчас прыгнем на это, вон, круглое облачко, видишь? Ничем мы с тобой не поможем ни Вере, ни маме твоей, ни учителю этому... Никто никому никогда не поможет. И каждый из нас проживет свою жизнь так, как предначертано. Да, это так.

— Ты, значит, считаешь, что можно о детях и не беспокоиться? Так ты считаешь?

Он снова уставил свой взгляд в небеса.

— Их нужно кормить. Обнимать. Остальное — не наших рук дело. Пускай сами учатся разным премудростям.

— Я брошу тебя. Ты чудовище, Марк.

— Бросай. Будет плохо.

Слегка помрачнев, он закрыл лоб руками, и локти его забелели, как мрамор, на фоне здоровой зеленой травы. Жена легла рядом. Нелепое дело — такая вот власть над душой слабой женщины, такая вот власть над ее слабым телом. И ладно бы был он каким-нибудь летчиком! А то ведь — пустейшее место, писатель. Она тихо плакала, — тихо, беззвучно, — уткнувшись лицом в перегретую землю, дыша ее запахом свежих цветов, телами живущих внутри насекомых, жуков деловитых, холодных червей, которые даже имен не имеют, и думала: «Господи! Как я устала!»

Поздно вечером состоялся бурный разговор между Линой Борисовной и Ларисой Генриховной. Выглядели обе они так, что если бы их встретил на улице недоброжелатель или, что еще правдоподобнее, недоброжелательница, то сердце того, кто их встретил бы, сразу наполнилось счастием и ликованьем. Лариса Генриховна, прорыдавшая всю дорогу в электричке, была яркокрасной, распухшей от слез, а Лина Борисовна вдруг превратилась из женщины немолодой, но приятной и благообразной наружности почти в старика. Была она в старых пижамных штанах и признаки женского пола утратила. Ее низкий голос стал басом, а волосы, зачесанные на затылок, повылезли. И та и другая кричали, как будто хотели лопнуть от этого крика, при этом хватали друг друга за пальцы, и пальцы хрустели.

— Ты знала, что дочь твоя спит с мужиком! И ты промолчала! Ты кто после этого?!

— Я знала? Откуда я знала? Я разве когда-нибудь что-нибудь знаю? Она вся в тебя! Ты ее воспитала! И ты научила ее этой скрытности! Она рассказала отцу! По секрету!

— Какому отцу? Переслени? Ну, знаешь...

— Да, он ей — отец! И ему она верит!

— Когда он опять будет вешаться, Лара, пускай она это увидит! Пускай!

— Но я ведь тебе запретила о Марке...

— Ох, я испугалась! Сейчас закричу! Она «запретила»! Скажите на милость! Какая ты мать?

Ты ей мачеха, Лара! Родные родители разве бросают детей в малолетстве! И ради мерзавцев!

— Не смей! Я тебе запрещаю! Он — муж мой!

— Черт с ним! Не о нем разговор! Растереть! — плевала на пол и плевок растирала, — она, моя деточка, спит с проходимцем! Он может ее заразить даже СПИДом! Он может ей сделать ребеночка! Лара! Тогда вот вы что запоете, родители?! Сегодня пришли ко мне два диких парня, носы, как у ястребов! Черные ногти! И стали ее — что ты думаешь? — сватать!

— Как сватать? — спросила распухшая дочь.

— А как в деревнях у них сватают, в Турции? И карточки мне показали! На каждой стоит по ослу! «Давайте ее, — говорят, — вашу внучку! Пускай они женятся и уезжают!»

— А ты что?

— А я что? Я благословила, а как же? «Спасибо за честь, — говорю, — осчастливили!»

Но тут вошла Вера. Худая, веселая, с копной всклокоченных желтых волос.

— Ну вот и пришла наша Красная Шапочка! — И Лина Борисовна вся затряслась. — Пока твоя мать не вмешалась, ответь мне: зачем ты спишь с турком?

— С каким еще турком? — ответила дерзкая Красная Шапочка.

— Я — завтра в милицию. Пусть разбираются. Пускай забирают его в Интерпол! Я так и скажу: моя внучка — ребенок, ее соблазнил иностранный товарищ...

— Молчи, мама! Доченька! — У Лары Поспеловой дрожало лицо так, что Вера смутилась. — Я знаю, что я виновата! Я знаю. Прости меня, доченька...

Она подошла к ней и крепко прижалась к ее молодому, счастливому телу и, сразу почувствовав, сколько в нем силы, и сколько в нем терпких разбуженных соков, и как оно пахнет — не детским, а женским, — отпрянула, все поняла и без слов.

Потом они плакали. Громче всех Вера. Стояли, обнявшись, мать, дочка и внучка. Сплетались руками, как дерево ветками, шептали, давясь от рыданий, пытаясь укрыться своей общей плотью от этой, всегда угрожающей жизни, которой никто из нас не господин, которая так норовит всех изранить и сделать всех жестче, грубей, подозрительней, чем и приближает нас к смерти быстрее, чем нам бы хотелось, чем мы ожидали.

Через неделю братья Алчоба и Башрут с трудом пропихнули в салон самолета пьяного олененочка своего, молодого Ислама, свесившего чернокудрявую, с сизым отливом, голову на грудь. И трудно представить, чего это стоило Алчобе с Башрутом. Ислама в таком его бедственном виде никак не впускали ни в зал ожиданья, ни на территорию аэропорта. Алчоба с Башрутом, глотая скупые мужские слезинки, достали бумагу и стали совать ее в руки начальству. Бумагу для них написал дядя Миша:

«Товарищ начальник. Вчера схоронили невесту Ислама красавицу девушку Веру. Ислам помутился залил горе водкой. А так он непьющий. Везем его к маме и мамой клянемся что больше не будем. Экинджи Башрут и Экинджи Алчоба».

(Кроме того, что в бумаге почти отсутствовали знаки препинания, в ней было множество орфографических ошибок, воспроизводить которые показалось мне излишним.)

ГЛАВА IV

«По снегу, черному от подметок и желтому от испражнений, шли войска великой армии, неделю назад впервые испытавшей поражение. Самым страшным было то, что женщины перестали стесняться мужчин, а мужчины женщин. Теперь уже было и непонятно, зачем эти прежние герои, силу которых истощили азиатские варвары, вели за собою такое количество красивых, высоких, изысканных женщин, известных к тому же своею наивностью. Грубые солдаты начали поговаривать, что от этих женщин нужно как можно быстрее освободиться, поскольку они все дорогой помрут, и лучше пускай разбегутся сейчас и ищут себе пропитание сами. Полковник Левицкий пробовал пресечь эти разговоры, но солдаты перестали слушаться его. Плотские существа их, достигнув последней степени унижения и слабости, как будто забыли, что в каждом из них — живая душа, бестелесное облако...»

220

Роман приближался к концу. Один из приятелей Бородина, сотрудник толстого журнала, во главе которого стояла властная женщина с восковыми, аккуратно причесанными волосами, сказал, что можно предложить роман этому журналу, но добавил, что, хотя лично ему очень интересно, какой шедевр вышел из-под пера Андрея Андреича, он не ручается за успех, поскольку начальница столь своевольна, что может быть всякое. Сам Бородин нисколько не тревожился. Странная уверенность, что весь мир будет покорен этим романом, не покидала его. Единственный человек, который мог позволить себе красить ногти в то время, когда он читал только что написанные куски, была Вера, но и она, то и дело вытягивающая вперед растопыренные, пахнущие лаком пальчики, хвалила Бородина и говорила, что написанное им в сто раз лучше всей английской литературы. А он слушал то, что она говорила, как будто бы рыжая девочка эта, вся в красных следах от его поцелуев, могла отвечать за свои рассужденья. Она говорила ему: «Ты — писатель». И он соглашался, кивал: «Да, писатель. Неважно, что это мой первый роман. Ведь главное было начать. Правда, Вера?»

Он, однако, не сказал ей, что собственное его отношение к только что законченной работе оказалось странным: он чувствовал книгу свою так, как руку, когда ее, скажем, приблизишь к огню, но так же, как хочется руку отдернуть, забыть про нее, так его подмывало забыть о романе:

что вышло, то вышло. Роман мой прекрасен, а что вы там скажете — какое мне дело? И кто мне судья?

Читатели, не удивляйтесь. Пока что герой наш наивен и неискушен. Он должен набить еще множество шишек, и кровоподтеков еще будет много, но он не похож на других и поэтому мне с ним не тоскливо, но очень тревожно.

Позвонили из редакции и сказали, что начальница не любит, когда произведение передают через третьи руки, и хочет сама познакомиться с автором. Утром одиннадцатого августа Бородин, не побеспокоившийся о том, чтобы надеть белую рубашку или вообще какую-нибудь рубашку, пусть даже и в клеточку, а оставшись в простой черной майке и джинсах, запихнул роман в портфель и хотел было уже застегнуть молнию, как вдруг странное желание остановило его. Оглянувшись по сторонам, словно боясь, что его кто-нибудь увидит, он быстро достал папку из портфеля и несколько раз поцеловал эту папку с такою отчаянной нежностью, с которой целуют ребенка, прощаясь.

«Вот так вот! — сказал он портфелю. — Боишься? Пошли продаваться».

В редакции его встретила молоденькая востроглазенькая секретарша и сообщила, что главный редактор разговаривает по телефону. Приятель Бородина, затылок которого он увидел в приоткрытую дверь, даже не оглянулся, хотя по движениям его робкой и напрягшейся спины Бородин понял, что приятель отлично знает о его приходе.

«Порядочки здесь! — подумал он быстро. — Гестапо какое-то».

Прошло минут сорок.

— Хотите воды? — спросила его востроглазая.

— Хотел бы оставить роман, — сказал он угрюмо. — Зачем я сижу здесь, не знаете?

Секретарша пожала худенькими плечиками. Через десять минут она сняла трубку зазвонившего телефона и радостно пропела в него:

— Сейчас!

Перевела дыхание, кивнула Бородину в сторону двери. Он вошел. За массивным письменным столом, на котором не было ни одного листочка, а только телефон и компьютер, сидела длинная, судя по всему, и худощавая женщина с сильно напудренным лицом и беспокойными глазами. На ней было строгое платье с большим гофрированным белым воротником, напоминающим костюмы Марии Стюарт.

— Садитесь, — сказала она с придыханьем, — о вас говорили.

«Ну чистый Булгаков!» — подумал он быстро.

Усмешка его явно не понравилась начальнице. Два розовых пятна зажглись на ее удлиненных щеках.

— Я разве смешное вам что-то сказала? — спросила она.

— Нет, это я мыслям своим.

Напудренная дама нервно протянула руку через весь стол.

— Давайте ваш текст.

— Мой текст?

— А у вас и еще что-то есть?

Голос ее стал металлическим.

— Да нет, ничего больше нет.

— Я вас не задерживаю, — сказала она.

Бородин пожал плечами и пошел к двери.

— А вас не учили прощаться, когда вы уходите?

Он удивленно оглянулся. Начальница стояла, выпрямившись, с раздутыми ноздрями, и ослепшими от ярости темными глазами смотрела на него.

— Прощайте, — сказал Бородин.

Дверь захлопнулась. Приятель ждал его внизу, на улице.

— Ну что?

— Не возьмет. — Бородин усмехнулся. — И как вы все это выносите?

— Выносим, и все. Кушать надо.

— Ну, это понятно, — сказал Бородин.

В метро он не испытывал ничего, кроме легкого раздражения, к этому нелепому походу, которое вскоре заменилось желанием прочесть свой роман самому. Только чтобы никто не мешал ему, не отрывал.

Вера сидела на качелях и грызла семечки.

— А что ты так быстро вернулся?

— Пойдем, я тебе почитаю роман, — сказал Бородин. — Это важно сейчас.

В лифте он губами снял прилипшую к ее верхней губе крохотную черную семечку. Она моментально закрыла глаза.

— Терпи, — прошептал Бородин, — сперва будем читать.

— Терплю, — прошептала она.

Пока Бородин искал ключи, а она мешала ему, щекотала его шею теплым носом и быстро целовала ухо, за дверью квартиры напротив слышалось какое-то движенье, как будто от двери отодвигали тяжелый предмет, и два резких голоса — женский с мужским — грубили друг другу. Бородин наконец отыскал ключи, Вера не успела отодвинуться от него, и в эту минуту открылась соседская дверь. Сосед Погребной стоял на пороге, опираясь на костыли, стопа правой ноги его, закованной в гипс, была неприятного мертвого цвета. А рядом, лохматая, в пестром халате, стояла жена, Погребная Евгения, которая, судя по ее раздосадованному лицу, проиграла сражение в коридоре и не сумела помешать своему мужу, Погребному Николаю Осиповичу, явиться сейчас перед этою парочкой, вконец потерявшей остатки стыда.

— Вы ногу сломали? — спросил Бородин. — А когда вы успели? Я только вчера вас здесь видел.

— Успел, — ответил ему Погребной. — Возвращался домой. Темно, свет они экономят, мерзавцы. Арбузная корка. Упал, и того... Но не перелом это, к счастью, а трещина.

— Ну, ладно, — небрежно сказал Бородин, — со всеми бывает.

Ответ его вызвал бешенство у инвалида и, нервный, как все инвалиды, он вспыхнул, себя не сдержал:

— А сколько гражданочке лет? — костылем он ткнул в серебристую юбочку Веры. — Мы тут вот поспорили как-то с женой... Она говорит, что тринадцать, а я два года накинул. И кто из нас прав?

У Бородина захватило дыханье. Ему ведь казалось: осталось немного! И — спасены! А вышло иначе: стоит сама смерть в очках на веревочке, в рваной рубашке, с ногой костяной, с серой пеной в углу дрожащего рта, и глядит на него своим немигающим взглядом, не дышит...

— Так кто из нас прав? — повторил Погребной.

Он вспомнил, как мать называла его «мальчишка-трусишка», и он с ней не спорил. Трусишка — и ладно. Таким уродился. Когда, еще в самом начале весны, они целовались во тьме подворотни, и там их застукали эти старухи, и он ощутил, как душа ушла в пятки, тогда он сказал себе: «Не приближайся!» — и слово сдержал, но потом, когда Вера пришла вдруг сама, с серым взглядом русалки, худая как щепка, и он одурел, не смог ее выгнать, а смог только сжать в объятьях и бросить ее на кровать, где вдруг оказалось, что эта русалка — уже и не «девочка», страх отступил.

— Пойдем, Николаша, пойдем! — сказала жена Погребного.

Она улыбнулась и всем показала свои желтоватые рыхлые десны. Его затошнило от них. Эти десны напомнили ряженку. В коридоре Вера обняла его. Она обняла его грустно, спокойно, похоже на то, как его обнимала когда-то жена, когда он волновался.

— Не бойся, — шепнула она.

— Нет, я не боюсь, — сказал он. — А вернее, не слишком боюсь. Но ты вот представь себе, что человека сажают в тюрьму. По ошибке сажают. И он сидит в камере вместе с убийцами. И каждую ночь ему снятся кошмары. Потом выясняют, что это ошибка, и он возвращается. Дети, семья. Но он ведь — другой человек. Или как?

— Не знаю, — произнесла она. — Я не знаю.

— Мне кажется, что раз все это случилось, его уже и наказали. Он разве забудет об этом? И разве к нему не вернутся все эти кошмары?

— Но время же лечит. Все так говорят.

— Ты не поняла меня.

Вера вдруг вспыхнула.

— Всегда про себя, про себя, про себя! Ты слишком боишься всего! Ты точно такой же, как папа! Он тоже всегда говорит про себя! Ему всегда страшно, и плохо, и больно, и жить он не хочет, и это, и то! А рядом ведь мама! А маме что делать?

— Садись. Я тебе почитаю.

— Ты любишь меня? Или больше не любишь? — спросила она.

— Нет, конечно люблю, — ответил он ей и слегка усмехнулся.

— Зачем ты такой...

— Ну, какой я? Какой?

— Я думала, что очень честный, но это, конечно, неправда. Ты просто жестокий.

Андрей Андреич удивленно посмотрел на нее. Ему вдруг пришло в голову, что и Елена, от которой он ничего не скрыл, тоже обвиняла его в жестокости.

— Давай я тебе почитаю, — сказал он. — Послушай вот это: седьмая глава.

«Когда Левицкий возвращался в бурых пятнах чужой крови — расстреливать приходилось много,— никто уже ни о чем не спрашивал, ему просто подавали списки, — Светлана ждала его. Старый слуга вносил три зажженных высоких свечи.

— Ты здесь? Подойди, расстегни-ка мне платье, — просила она. — Где ты был? Убивал?

И он шел за нею в их новую спальню. В глаза ему сразу бросался букет, который ей кто-то всегда присылал с одною и той же запиской «Я вас...», потом — отражение в зеркале. Женщина стояла не двигаясь и раздраженно смотрела на то, как он входит.

— Я грязный. Позволь, я умось.

— Не стоит.

Тогда он бросался к ней и обнимал, обхватывал сзади, и руки дрожали. Спина была шелковой, очень горячей».

Коротко, но сильно, по-хозяйски, позвонили в дверь. Бородин посмотрел на Веру. Она ответила ему расширенным взглядом. Он открыл. На пороге стоял милиционер в сопровождении инвалида Погребного на костяной ноге, его жены и незнакомого человека в зимней ушанке.

— Пройти разрешите, — вежливо сказал милиционер, — сигнал поступил: непорядок у вас.

— Какой непорядок? — бледнея, спросил Бородин.

Милиционер увидел Веру.

— Вот эта, — сказал Погребной. — И дня не проходит. Все время здесь шастает.

— Моя ученица, — сказал Бородин. — Готовится в литературный.

— Ну прям ученица! — пропела Евгения.

— Хозяин квартиры кто? Вы? — негромко спросил милиционер. — Ваш паспорт, пожалуйста.

Бородин протянул ему паспорт.

— А ваш паспорт, девушка?

— Я паспорт с собой не ношу, не привыкла, — она закусила губу, — поэтому паспорта нет.

Евгения вскрикнула, словно была не женщиной в грязном и мятом халате, а птицей, внезапно подстреленной в небе.

— Так мы ж говорили... А вы нам не верите!

Милиционер поскреб подбородок.

— Вы чем занимаетесь здесь?

— Занимаемся? — Лицо его было застывшим, как маска. — Готовлю ее к поступлению в вуз.

— Кровать, разрешите спросить, почему у вас, так сказать, среди дня не заправлена?

— Живу в холостяцком режиме. Хочу отдыхаю, хочу ночь не сплю.

— Не вижу причины мешать. Занимайтесь. Но если еще раз поступит сигнал, придем и проверим.

После их ухода Андрей Андреич отошел к окну и вжался в стекло неподвижным лицом. Она накрутила пушистую прядь на свой очень тонкий и длинный мизинец.

— Ну, что ты молчишь? — прошептала она.

— Сама понимаешь.

— Ты бросишь меня?

Он ей не ответил. Стоял и смотрел, как гаснет закат, как темнеют деревья.

— Ты бросишь меня? — повторила она.

— Мне нужно побыть одному. Не сердись.

— Скажи, почему? Почему не со мной?

— Ну, нужно, и все.

— Не бросай меня, слышишь!

— Не брошу.

— А знаешь, — шепнула она, — ты больше меня не увидишь.

— Увижу.

ГЛАВА V

Тогда она хлопнула дверью. Он видел, как Вера бежала к метро. Ее волосы еще выделялись своей желтизной среди всего серого, темного, грязного.

Бородин выключил компьютер и задернул занавеску. В комнате стало почти темно, как будто наступил вечер.

> Мне хочется домой, в огромность
> Квартиры, наводящей грусть.
> Войду, сниму пальто, опомнюсь,
> Огнями улиц озарюсь...[1]

Он бормотал эти строчки и чувствовал, что страх, стиснувший его изнутри, постепенно утихает. Но как только строчки оборвались, страх вернулся и принялся нарастать с неудержимой силой.

«Войду, сниму пальто, опомнюсь, огнями улиц озарюсь...»

Перед *этим* страх отступает. И неважно, что не он это написал, а другой человек. Какая разница, кто посадил дерево, если оно каждую весну

---

[1] Б. Пастернак. Волны.

покрывается остро пахнущими листьями, от которых склеиваются пальцы и молодеет душа? Бородин закрыл глаза и увидел самого себя, открывающего ключом дверь квартиры на Тверской и входящего в уютную темноту, слабо поблескивающую стеклом книжного шкафа и люстрой, которую так удачно купила генеральша. Теплые и вкусные запахи этой квартиры охватили его, как ветер, летящий из близкой деревни, охватывает человека, и тот всем нутром и всей кожей вдыхает, как радостно пахнет сырая земля, как тянет парным молоком из коровника и как сладкий запах дешевых духов плывет с танцплощадки, где эти духи, настойчивые, как голодные женщины, осиливают даже водочный запах.

У Елены был легкий, приветливый характер. И жили они хорошо и любовно. Тело ее было такой белизны, что ночами, когда мелкими искрами разгорался снегопад за окном, фрагмент ее нежной щеки или локоть казались сгущением этих же искр.

Он знал, что ничего нельзя вернуть: ни прежнего себя, ни Елену, ни снега за окном. Потому что существует не одна смерть, как думают люди, а множество малых смертей. И прежняя славная жизнь умерла, сгорела внутри его дикой любви и пеплом покрыла кровать, на которой лежал он в обнимку с растрепанной школьницей. А сегодня, оскорбленная и заплаканная, вздыбив свою рыжую шерсть, как кошка, на которую плеснули кипятком, убежала школьница. Он не бросился догонять ее и не стал успокаивать и просить вернуться. Была раскаленная страсть к ней. И долго. Но вдруг стала гаснуть, как пена морская, впиталась в шершавый колючий песок.

А лето все шло, продолжалось, сияло, и каждая плоть — от кузнечика до огромной распаренной женщины в шляпе — должна бы была ликовать, упиваться и этим сияньем, и этим теплом, а вот почему-то все не получалось. Более того, внутри благодатного тепла с особенной скоростью размножались угрызения совести и подозрения, которыми изуродована и жизнь отдельного человека, и жизнь всех на свете людей. Угрызения совести и подозрения выползали друг из друга и, освещенные ярким летним солнцем, тяжело передвигались внутри простодушного воздуха, ища, где бы впиться покрепче, кого бы ужалить, кого прокусить. И мало кто мог устоять перед ними.

Прошло несколько дней. Бородин ждал, что она позвонит, но Вера не звонила. Из редакции толстого журнала его тоже не беспокоили. Он думал о Вере не так, как он думал о ней еще пару дней назад. Прежде любая мысль о ней вызывала в нем острый спазм того блаженства, которое он испытывал с нею. Теперь острота притупилась, зато в душе его, как это бывает внутри увлажненной оттаявшим снегом земли, сплелись размягченные корни, и вскоре сквозь сетку дождя и тумана отчетливо выросло дерево.

«Почему мне ничего не нужно сейчас? — думал Бородин, лежа на своей неубранной кровати в комнате, раскаленной от солнца сквозь задернутые занавески. — Ничего и никого. Точно так, как было, когда они умерли: сперва отчим, а потом мама. Я почти ничего не помнил. От отчима остался запах водки и рвоты. А от мамы — какой-то пудры. Я боялся только армии, но у меня нашли туберкулез и отправили в лечебницу. В лечебнице было хорошо и неловко, начались женщины. Антон приводил к нам в палату свою девушку, и они устраивались между его и моей кроватью. А девушка кашляла, и когда дело подходило к завершению, кашель ее становился собачим лаем, дыхания ей не хватало. А моя женщина была старше и всему меня научила. Я хотел только одного: знать, как *это* делать. Потому что *это* придавало смысл жизни и делало ее острой. — Мысли его начали перескакивать на другое. — А сейчас? Сейчас я не знаю, на что опереться. С Леной было хорошо, потому что Лена сильнее меня. Она так дорожила мной, что, как огня, боялась своей силы. И ведь это она выгнала меня, а получилось, как будто я ее бросил. Она знала, что сам я никуда не уйду, — он рывком сел на кровати. Крупный пот заливал его лицо гуще и солонее, чем слезы, — стыдилась меня. Да, стыдилась. А эта?»

Он вспомнил молочную ванну. И то, как Вера сидела, кудрявая, мокрая.

«Я хотел ее. Вот и все. Какая там к черту любовь! Увидел, как она вошла в класс, и меня прихлопнуло. — Бородин опять лег, накрыл лицо подушкой. — Хорошо, что здесь никого нет. Слава Богу».

И вдруг все лицо его сморщилось.

«Стыдно! — он снова вскочил. — И с этим стыдом жить нельзя. Вот сяду в троллейбус и вдруг встречу их. Куда же я спрячусь? А некуда прятаться».

Он пошел в кухню, шумно наглотался теплой водопроводной воды и устроился на кровати в прежнем положении.

«Мне хочется домой, в огромность... Интересно, когда он это написал? Когда у него была и семья, и любовница? Или когда любовницы еще не было? — Было так стыдно, что он говорил вслух с самим собой и даже жестикулировал. — А я-то хорош! Таиланд тут устроил!»

Маленькое и круглое лицо Васеньки с персиковыми щеками и глубокими нежными ямочками на этих щеках вспыхнуло в полутьме.

«Да, я тут устроил Таиланд. А вот подрастет моя Васька... Придет взрослый дядя и скажет: «Какая красивая девочка!»

Он подошел к окну и отдернул занавеску. Заходящее солнце блеснуло прямо в глаза.

«Да тихо же! Тихо! — сказал Бородин, обращаясь не к солнцу, а к окнам, горящим напротив. — Пока что пришел идиот с костылем. Пришел и ушел. Все очень логично: моя ученица.

Комар не подточит... И все. Это нужно забыть. Вернуться домой. Елене сказать, что одумался. Точка».

Ему вдруг до тошноты захотелось смеяться, но он сдержался.

«Ни денег, ни даже приличной работы. Один только секс да любовь, да и те...»

Он обхватил себя крест-накрест голыми и сильными руками. Прикосновение горячих рук к собственной коже вдруг возбудило его, как будто бы Вера прижалась к нему и тут же отпрянула.

«Я завтра поеду к Елене на дачу и все ей скажу. И так будет лучше для всех».

Торопливая мысль, что если сейчас вернуться обратно домой, запереть нагатинскую квартиру на ключ или — что еще лучше — сдать ее каким-нибудь жильцам, то, что бы ни наговорил мужик с костылем — никто разбираться не станет, — торопливая эта мысль, прихрамывая, пробежала по его голове и спряталась под мокрыми волосами.

Был вечер, двадцатое августа.

КНИГА ШЕСТАЯ

ГЛАВА I

Вскоре после похорон ведьмы Курочкиной Иван Ипполитович был приглашен в Швейцарию на симпозиум, посвященный вопросам пересадки человеческого мозга и его отдельных частей. Душевное состояние знаменитого врача и ученого Ивана Аксакова оставляло желать лучшего. Прощание с умершей и начавшийся после этого запой у священнослужителя отца Никодима не только произвели самое тягостное впечатление на сдержанного профессора, но и разворошили его сознание до такой степени, что Иван Ипполитович казался самому себе большой деревенской периной, которую грубо вспороли ножом и пух полетел по округе. Ни одно представление о жизни больше не выдерживало испытания вопросами, никогда прежде не приходившими в голову. «Откуда я знаю?» и «Так ли все это?» — спрашивал себя Иван Ипполитович и терялся в догадках. Все, что касается нейрофизиологии и вообще медицины, стало вызывать у профессора постоянное сомнение, и если бы не подвернувшееся приглашение на швейцарский симпозиум, Иван Ипполито-вич сделал бы все возможное, чтобы устроить себе академический отпуск и, может быть, даже махнуть на Тибет, где, как говорят, просветляют сознание. Та соломинка, за которую он пытал-ся недавно ухватиться, а именно Лара Поспе-лова, теперь только мучила, вдруг появляясь в особенно грустных его сновиденьях. Профессор Аксаков с каким-то почти мистическим ужасом вспоминал бесовское свое желание скорейшей погибели мужу ее, и сам себя не узнавал, и те-рялся.

«Как же я мог? — расширяя глаза, спрашивал он себя. — Да это ведь словно не я даже был! Конечно, не я. А кто же? Вот кто?»

Восемнадцатого августа, перед самым отлетом в выскобленный до последней прожилочки на асфальте и вымытый щетками Цюрих, профессор Аксаков зашел в подъезд бывшего своего дома неподалеку от метро «Спортивная», чтобы по-прощаться с матерью перед отлетом за границу. В полутьме парадного его едва не сбила с ног влетевшая следом за ним дочка Лары. Она была маленькой, сильно взъерошенной, напрягшейся и золотистой, поскольку затылок ее золотили пружинки повсюду торчащих волос, таких твер-дых, что напоминали корону. Лицо маленькой этой девочки-подростка было искажено столь сильным отчаянием, что Иван Ипполитович чуть было не схватился за сердце, которое всю его прошлую жизнь работало с точностью лучших швейцарских часов и подобных часам механизмов.

— А! Вы? — простонала она. — Но я тороплюсь, дядя Ваня!

— Куда ты? Поедем на лифте! — сказал он испуганно.

— Каком еще лифте? Мне нужно худеть! — вскричала она и взлетела по лестнице, в секунду осилив пролет и исчезнув.

Тяжело, как старик, ступая, Иван Ипполитович не стал дожидаться лифта и пошел следом за ней, желая хоть как-то помочь тем несчастьям, которые, как облака грозовые, стояли над дочерью Лары Поспеловой. За дверью их квартиры была сначала тишина, потом звук раздался, такой чистый, звонкий, как будто разбился китайский сервиз. И вновь все затихло. Иван Ипполитович потоптался еще немного и отправился туда, где нетерпеливая мать его, знаменитый педиатр, уже накрывала на стол.

— Ты видишься, мамочка, с Линой Борисовной?

— Ах, вижусь! — ответила мать. — Очень вижусь! Они и на дачу-то больше не ездят! Сидят здесь с Ларисой и обе дрожат! Их эта девчонка в могилу сведет!

— Ну что здесь такого? — вздохнул ее сын. — Проблемы взросления. Все их проходят.

— Нет, так, как она, дорогой мой, не все! Она — вся в отца в своего, в Переслени. И склонности к самоубийству такие же.

Иван Ипполитович вздрогнул всем телом.

— С чего ты взяла?

— С чего я взяла? Глаз — алмаз! — ответила мать, покрасневши от гордости. — Ты тему моей диссертации помнишь? «Агрессия и суицид у подростков».

Иван Ипполитович отодвинул от себя тарелку и сказал, что торопится. Вызвав для виду лифт и расцеловавшись с энергичной женщиной, сорок четыре года назад родившей его, — крутолобого, мокрого, покрытого еле заметным пушком, — он снова припал всей щекой своей к двери соседской квартиры. Теперь он явственно слышал, что у Поспеловых разговаривают на повышенных тонах и, кажется, кто-то рыдает. Не выдержав, он позвонил. Долго не открывали, но потом зашаркали узловатые ноги Лины Борисовны, и голос ее хрипловато спросил:

— Кто там?

— Это я, тетя Лина. Простите. Вот побеспокоил...

— Нельзя, нет нас дома.

Открыла, однако.

Он быстро взглянул во глубину комнаты, увидел, что девочка лежит на диване, плотно завернувшись в простыню. Рядом с диваном стояла на коленях Лариса Генриховна и все пыталась дотронуться до девочки, погладить ее, но девочка дергалась, отодвигалась.

— Что? Плачет? — спросил осторожно Аксаков у бабушки Лины Борисовны.

— Ой, Ваня! — словно она только что узнала его, воскликнула Лина Борисовна. — Так ты же ведь доктор! Ты знаешь, что тут у нас было? — она затравленно оглянулась на диван и понизила голос: — Вбежала. Как дикая кошка. И в ванную сразу. Мы тут же за ней: «Веруся! Веруся!» Она ни гу-гу. Тогда я кричу: «Мы дверь поломаем!» А Лара рыдает. Она, Ваня, только и может рыдать. Потом слышим звон. Там ведь много стеклянного. Для мыла подставочки... Ваза с цветочками. Красивый вообще интерьер... — Глаза у Лины Борисовны приняли безумное выражение. — И вдруг дверь открылась. Мы смотрим: стоит. Вся белая, Ваня. Белее салфетки. И спрятала руки за спину. Вот так. — Лина Борисовна выгнулась и показала, как именно прятала руки Вера Переслени. — И что-то закапало. На пол. Кап-кап. И смотрим мы: кровь! Перерезала вены!

Иван Ипполитович схватил Лину Борисовну за плечи и затряс:

— Чего же вы ждете?

Она вывернулась, сухонькое лицо ее приняло пепельный оттенок.

— А ты чего хочешь? Чтоб «Скорую» вызвать? В психушку везти? Да хватит! Уж были у нас и психушки, и «Скорые», и всякие были! Наследство-то, Ваня, уж очень удачное! Отец-то у нас дерь-мо-тург!

— Но это опасно...

— Опасно?! — со страстью воскликнула Лина Борисовна. — А я разве не говорила? Я разве... —

И тут она расплакалась, прижалась к плечу профессора Аксакова. — Теперь что нам делать? Лечить ее, Ваня? Таблетки? Уколы?

«...А вы все: «Укольчик! Таблетку! Укольчик!» — *вспомнил Иван Ипполитович, и Валерия Петровна Курочкина в выцветшем темно-синем платьице и розовом, в красных крапинках переднике, как живая, появилась перед ним, тряся жиденькими косицами: «Любовь, Ванька, жуткое дело! Ох, жуткое!»*

В самолете он пытался задремать, но сон не шел к нему. Белые облака, сквозь которые скользило отяжеленное беспомощными людьми железное существо, вернее, и не существо, а машина — плод рук и смекалки существ настоящих, живых и с душой, машина, по боку которой синело SWISS AIR, была так мала и ничтожна, что небо, его белизна, туман бирюзовый и нежные контуры тех, кто с земли нам кажется личиками, парусами, — белые облака эти успокаивали профессора Аксакова тем, что не знали и не подозревали о его стыде.

Профессору Аксакову было стыдно за себя. Ему было стыдно того, что он, сорокалетний и, как думали все, умный, образованный человек, к мнению которого прислушивались другие, тоже умные и образованные люди, провел столько драгоценного времени, отпущенного ему Богом, занимаясь чепухой, и ни разу не усомнился в важности и необходимости своих занятий. Новое для него чувство любви, — не плотской, не алчущей, даже не ждущей, — было настолько сильным, что, соприкасаясь со стыдом, который присутствовал тут же, — это чувство любви последовательно разрушало внутри Ивана Ипполитовича того человека, каким он был прежде. Любовь, переполняющая окутанного облаками ученого, была, как всегда, направлена к Ларе Поспеловой. Но прежде, влюбленный, униженный, злой, он ждал, ждал и ждал, все двадцать два года он ждал, что она опомнится и бросит своего драматурга, а еще лучше, если драматург сам прыгнет с балкона девятого этажа, и это ожидание, твердое, рассчетливое до маниакальности, привело Ивана Ипполитовича к тому, что внутри его поселился самый настоящий преступник, который в конце концов начал так сильно желать смерти Марку Переслени, что обратился к услугам дьявола, дочерью которого являлась жительница подмосковного поселка Дырявино Валерия Петровна Курочкина.

ГЛАВА II

Читатели милые, захваченные моим рассказом и разделяющие то вдохновение, которое я сейчас переживаю! Не приходило ли вам в голову, что очень тонкая черта, к тому же прерывистая, неуверен-

ная, проведена между дурными мыслями человека и его же дурными поступками? А вы вот вглядитесь. Желая кому бы то ни было смерти, несчастья, болезни, потери имущества, вы ведь убиваете, вы ведь воруете, хотя и находитесь, может быть, даже в другом государстве. Воскликнешь, бывает, в сердцах: «Чтоб ты сдохла!» какой-нибудь серой, больной старушонке, какая толкнула вас в тесном трамвае, а кто ее знает: жива ли бедняжка на следующий день? При чем здесь, в берете, хромой Мефистофель, при чем здесь все эти германские штучки? Не нужно быть Фаустом, чтобы однажды продать свою душу и не спохватиться, и не побежать вслед за ней, уносимой в когтях окровавленных, жадных когтях, — да, не побежать, спотыкаясь и плача: «Верните! Верните!»

*А поздно, голубчик. Зачем не молился, когда подступали к тебе эти мысли? Ведь это же **он** искушал тебя, **он**. Простой русский бес, весьма мелкий к тому же, в засаленной кепочке, а не в берете, в протертых перчатках и клетчатом шарфе.*

Именно так все и произошло с профессором Аксаковым. И если бы Валерия Петровна Курочкина не удивила его своим отказом, а сразу взялась помогать, да с охотой, с которой бралась за свои безобразия, то ангел, хранитель души его грешной, не стал бы бороться с ведьмачкой в то утро, когда просвещенный Иван Ипполитович отправился с целью убийства в деревню.

Постойте! О чем это я? Он сейчас летит в облаках, высоко-высоко, его ждет симпозиум, жгучие люди, готовые кто на костер, кто на плаху за правое дело бессильной науки, а он отвернулся и смотрит в окошко, и даже сосед его, крепкий старик, не видит лица его и выраженья его словно изголодавшихся глаз.

Профессора Аксакова жег стыд. И так сильно жег, что, усаживаясь в кресло и привычно улыбаясь окружающим, особенно стюардессе с голубоватыми, как у Мальвины, волосами, он поймал себя на мысли, что хорошо было бы грохнуться всему этому самолету, тогда бы и кончились разом все муки. Однако он тут же ужаснулся тому, что сверкнуло в голове, и, сжавшись внутри, как пружина, прикрыл ноги пледом, поскольку какой-то сквозняк шел из пола. Перед глазами Ивана Ипполитовича постоянно возникало одно и то же: он отстраняет Лину Борисовну, подходит к дивану, на котором, отвернувшись лицом к стене, лежит плотно завернувшаяся в простыню девочка, и только маленькие грязные ноги ее с красными ноготками упираются в валик, а рядом, на полу, сидит Лариса, которая поднимает лицо, и профессор Аксаков видит, что это и не ее лицо, а чье-то похожее, старше намного,— лет, может, на двадцать, — и боль в этом милом лице, боль такая, что он тут же сел с нею рядом на пыльный, в зеленых разводах и птицах, ковер.

— Ваня, — сказала Лара Поспелова. — Ванечка.

245

Соленый ком набух в горле профессора и надавил на нёбо.

— Смотри, — прошептала она. — Что наделала...

Она высвободила из простыни худую руку Веры, которая даже не пошевелилась. Профессор Аксаков увидел несколько свежих порезов на запястье.

— Кровь шла, — сказала Лариса. — Мы остановили.

Иван Ипполитович зашмыгал носом.

— Дай я погляжу, — он всмотрелся в неглубокие затянувшиеся ранки, — она только кожу порезала. Это пустяк.

— Какой же пустяк?

Лариса Генриховна тяжело поднялась с пола, поцеловала запястье своей дочки и снова осторожно накрыла ее руку простыней. Вера глубоко и ровно дышала.

— Заснула, — сказал Иван Ипполитович. — Ей сон сейчас важен.

— Пойдем, Ваня, — попросила Лариса Генриховна. — Боюсь, разбужу.

Они вышли на кухню, из которой сейчас же, как тень, с жалким серым пучком на затылке, выскользнула Лина Борисовна. Лара обеими руками обхватила Ивана Ипполитовича и с яростной силой вся вжалась в него, как будто бы он мог служить ей защитой, укрыть ее от урагана и ливня. Ее колотило, и кожа Аксакова вбирала в себя эту дрожь, а дыханья их будто ловили друг друга и вместе рождали глубокий раздвоенный звук.

Двадцать два года он тосковал по ее телу. Двадцать два года назад они попрощались на дачном перроне, а на следующий день ее заметил Переслени, затащил в кусты на Воробьевых горах и сделал своею законной женой. Тело Аксакова тут же вспомнило запах ее волос, горячую впадину между ключицами, оно наслаждалось и торжествовало так, как торжествует охотник, загнавший в капкан или сети желанного зверя. Но странно: душа его не разделяла восторженной жадности плоти, стыдилась. Сквозь тонкую ткань профессор Аксаков ощущал слегка царапающие соски и круглый упругий живот бедной Лары, которая, видимо, даже не думала о том, что прижалась к нему в своем легком, на голое тело надетом халате, и вскоре профессору стало неловко, что он в это время посмел ТАК использовать ее беззащитность.

Они продолжали стоять, слегка раскачиваясь под силой незатихающего рыдания, как будто два дерева соединились под силою ветра, и чем теснее она прижималась к нему, чем крепче они обнимали друг друга, тем острее разливалась по всему существу Ивана Ипполитовича и жалость, и страх за нее, как будто он был виноват перед нею. Он не произнес ни слова не только потому, что всякие слова были напрасны, но и потому, что любое, самое любящее слово разрушило бы единство, в котором им было обоим тепло и свободно.

Он просто любил ее, а эта ревность, горчайшая, темная, с кровью и слизью, куда-то пропала. Он освободился.

Они не услышали звонка в дверь и оторвались друг от друга только тогда, когда Переслени закашлял на кухне.

— Ну вот, я приехал, — сказал Переслени.

Иван Ипполитович оглянулся и словно бы даже его не узнал. Ничего плохого не было в этом невысоком, широкоплечем человеке с ясными и встревоженными глазами и небольшой бородкой, в которой сквозила слегка седина. У этого человека было такое же право любить Ларису, как и у профессора Аксакова, а то, что Лариса его предпочла, на то была воля их общей судьбы.

Встретившись глазами с вошедшим, Иван Ипполитович живо представил себе, как совсем недавно он вынашивал планы умертвить его, потому что существование ничем не провинившегося перед ним Марка Переслени казалось ему несовместимым с его собственным существованием.

Итак, он летел в облаках, облака его укрывали собою, своею слегка равнодушной, но светлой основой, они поглощали и стыд, и грехи, и мысли дурные, и грязные речи забившихся в эту железную птичку, такую неловкую и своевольную, на крылышке, еле заметном, которой синело «Swiss Air».

Полет был недолгим. От жизни до смерти еще меньше времени, если подумать.

ГЛАВА III

Ночью с двадцатого на двадцать первое августа Бородин не мог спать. Мысли его были, как ни странно, далеки не только от Веры, но даже от дочки, с которой он должен был свидеться утром. Заснул он на самое короткое время еще вечером и во сне увидел себя стариком. Старик был коричнево-смуглым и голым, стоял в очень теплой реке, наклонившись и словно пытаясь в ней что-то поймать. На берегу его ждала женщина, еле различимая в темноте. Сначала он сразу подумал: «Елена!» Но понял, что это была не она. У старика сильно болели ноги, теплая вода помогала ему, но женщина торопилась и объясняла, что не может больше ждать и он должен выйти скорее на берег. Тогда Бородин догадался во сне, что женщина эта и есть его смерть. Коричнево-смуглый и голый старик, которым он стал, опустился на корточки и медленно, тихо пополз к ней по дну, довольный, что долго ползти не придется и сил ему хватит.

От страха Бородин проснулся. На поверхности сознания дрожало изображение ползущего навстречу смерти старика, но реальность уже проступала из-под корки кошмара, как из-подо льда, разогретого солнцем, синеет вода. Он понял, что это был сон, вытер пот.

А ночь между тем навалилась на город. Погасли последние огни, и вдруг по всему небу побежали зарницы, эти фальшивые предвестники грозы, которая где-то идет, далеко, и где-то, за сто километров отсюда, грохочет и гром, рассыпаются молнии, а люди укрылись в дома и притихли. Зарницы, изо всех сил освещающие августовское небо своим жутковатым белесым огнем, показались Бородину отражением тех мыслей, которые так напугали его. Никогда прежде он не думал о смерти, потому что ему едва исполнилось тридцать лет и он не собирался умирать.

Андрей Андреич встал, плотно прижал руки к туловищу и, закрыв глаза, напрягшись и сильно побледнев от этого, сделал глубокий вдох, а после, сжав челюсть и словно слегка улыбаясь при этом, начал медленно и осторожно выталкивать воздух, до отказа забивший легкие. Спокойные до безучастности йоги так дышат всегда, оттого им не страшно. Круглое материнское зеркало отразило голого человека с нелепой гримасою рта и ноздрями, раздутыми, словно от сильного гнева.

Он плюнул на йогов и сел на кровать.

«А я написал ведь о смерти в романе! И, кажется, я хорошо написал. Особенно то, как он похолодел. Сначала холодным стал лоб, потом руки. Тепло уходило не сразу и медлило. Потом вдруг ушло за секунду».

Он вспомнил, что кто-то ему рассказал, как это бывает, и он очень ловко и очень уместно все вставил в роман.

«А может, и там пустота? — Голое тело Бородина покрылось холодным потом. — Я просто подслушивал, подсматривал за людьми, запоминал, потом изобрел прием, перепутал времена, наплевал на географию, на хронологию, на все наплевал и писал с такой легкостью только потому, что все эти три месяца она лежала на моей кровати и мы спали с ней. И *сил* было столько, что некуда было девать... А если всю эту любовь я просто придумал себе, то я и писать не смогу... Я думал, что кровью пишу, а писал, наверное, спермой».

И он засмеялся тем смехом, которого часто боялись Елена и теща. Смех этот всегда был внезапным и громким, всегда беспричинным и вдруг обрывался, как будто кончался в груди кислород.

В десять часов утра позвонила секретарша из журнала, в котором роман Бородина ждал своего приговора.

— Вас просят заехать сейчас, — испуганно сказала секретарша. — И лично.

— Так что? Не берет? — спросил он.

— Откуда я знаю? Нам разве докладывают?

Минут сорок он прождал в приемной главного редактора. Секретарша испуганно тюкала на компьютере и старалась сделать вид, что Бородина не замечает. Потом зазвонил телефон, и секретарша сказала:

— Сейчас. Я уже запускаю.

Бородин понял, что речь идет о нем, и усмехнулся: «Как в космос лечу: «запускают»!

В просторном кабинете начальницы пахло хорошими духами. Сама она стояла у окна спиной к Бородину во всем тускло-черном, и только ботинки спортивного вида блестели своей позолотой.

«Подагра, — подумал он мрачно. — Ей лет-то немало...»

— Садитесь, прошу вас, — сказала начальница мягко, но так, что ему захотелось уйти.

Он сел. Она обернулась. Лицо ее, скорее всего, очень миловидное в молодости, с маленьким лисьим подбородком и немного удлиненным носом, было без очков, и поэтому Бородин увидел, как прыгают под накрашенными ресницами ее расширенные яростью зрачки.

— Вы *что* написали, позвольте узнать? — спросила она еще мягче.

— Роман.

— Вот это роман? — Она подскочила к письменному столу и немного задрожавшими руками с очень белыми и отечными пальцами, на одном из которых было кольцо, занимавшее целую фалангу, схватила роман, весь исчерканный красным. — Вот эту пародию, карикатуру, безграмотный бред вы зовете романом? А школу вы кончили?

— Школу? Да, кончил.

— А я говорю вам, что нет! Вы не кончили! Вы всю свою жизнь пролежали, наверное, в какой-нибудь самой клинической смерти!

— Вы, может быть, в «коме» хотели сказать? — спросил Бородин. — Ведь в клинической смерти особенно долго-то не пролежишь...

Рябиновые гроздья зажглись на ее вытянутых щеках.

— Не смейте меня исправлять, — прошептала она с каким-то, его удивившим, страданьем. — Я гаже, чем это, — и маленьким лисьим своим подбородком кивнула на рукопись, — я гаже, бессовестней в жизни своей... в руках не держала... Я вся перепачкана!

— Ну, хватит, — спокойно сказал Бородин. — Верните мне текст. Нервы поберегите.

Она отвернулась к окну. Он ушел.

У метро Бородин купил мороженое и сел на лавочку. Нужно было торопиться, чтобы успеть на электричку, но почему-то он медлил, и показалось, что он заболевает — на улице было по-прежнему жарко, а он весь дрожал от озноба.

«Бедняга, — он вспомнил редакторшу. — Забыла, наверное, что все мы умрем. И так бушевать от какой-то там рукописи... Не нравится, ну не печатай, и все. А может, ее никогда не любили?»

Он смотрел на пробегающих мимо людей, на их озабоченные, раскрасневшиеся лица, и ему казалось, что он сидит в зрительном зале какого-то огромного театра и смотрит на сцену.

«Если бы меня спросили сейчас: чего я хочу? Я что бы сказал? — Он чувствовал, что ему трудно дышать. — А я ведь не знаю, чего я хочу. — Голова у Андрея Андреича медленно и приятно закружилась. — Хотелось бы сразу всего. Роман чтобы был гениальным, — он вдруг засмеялся отрывистым смехом, — платить нужно за гениальность, забыл? Платить нужно потом и кровью. А с девочкой спать... Это каждый умеет. Еще я хочу быть богатым и честным. — И он засмеялся. — Но так не бывает. Хочу верить в Бога. Да, очень хочу. Но разве я верю?»

Он не заметил, как поднялся с лавочки и начал говорить сам с собой и жестикулировать. Проходящие мимо оглядывались на него, но не останавливались.

«Мне трудно дышать», — сказал он и упал, но не на асфальт, а, по счастью, на лавочку.

Интересно все-таки устроены люди: вот начни кто-нибудь кричать благим матом или руками размахивать, ни за что к такому не подойдут, а, напротив, обегать будут за десять километров. А вот упади кто-нибудь и перестань двигаться, так непременно соберется толпа. А если уж кто-то внезапно и умер, дышать перестал, неотложка приехала, — так тут просто не протолкнуться.

Кого понесли? А куда понесли? А женщина или мужчина? А кто? Замужняя, нет? Молодая? Красивая?

А сами ответов не слышат. Тут важен процесс. Внимание к ближнему плюс любопытство. Ну да. Остроты не хватает нам в жизни. А вот как подымут кого санитары, да гаркнут, чтоб все разошлись, да увидишь ты краешек белой простынки, смущенно укрывшей лицо незнакомого, тут сразу такое волненье в крови, что просто хоть в пляс!

И не в чем и не за что нас упрекать. Живем ведь мы все, словно рыбы в аквариуме. Нам, может быть, кажется: мы независимы и сами себе господа, а вот фигушки! Вода-то у нас, независимых, общая. Любой человек рассуждает: вот я, а вот — остальные. Но он ведь и сам — «остальной». Он, миленький мой, «я»-то лишь для себя, а вот для другого такого же «я» он ведь — «остальной». Так уж мир наш устроен. Сейчас я смотрю, как тебя понесли, а после ты будешь глазеть на меня. А если не ты, так ведь это неважно: какая мне разница, кто займет место, которое отведено «остальному»?

Его окружили и вызвали «Скорую». «Скорая» приехала не сразу, и пока она торопилась ему на помощь, Бородин пришел в себя и открыл глаза.

«Не пьяный? Не пьяный. Так, может, наркотики? — Люди переговаривались громко, как будто Бородин был еще не вполне ровня им и его можно было не стесняться. — Травы накурился? А что? Это запросто. А может, инфаркт? Вон сосед мой отправился! Упал во дворе — и каюк!

Вот и все. Сказали: инфаркт. А какой молодой! Еще сорока не исполнилось, во как!»

— Пустите меня. Мне на поезд пора, — сказал Бородин и попробовал встать, но ноги его не держали.

— Ты, парень, лежи, сейчас доктор приедет. Какой тебе поезд? Ты еле живой.

Доктор пощупал пульс и померил давление. У доктора было сердитое лицо, все в рыжих колючках и крупных веснушках.

— У вас аритмия, — сообщил ему доктор, — поэтому вы потеряли сознание. Хотите в больницу?

— Нет, я не хочу, — сказал Бородин. — Это разве опасно?

— Да, всяко бывает. Бывает, что даже концы отдают.

— И часто?

— Нередко. Процентов так восемьдесят. Ну что? Не хотите в больницу? Решили? Тогда хоть сходите к себе в поликлинннику.

— Схожу, — обещал Бородин.

Толпа разошлась.

ГЛАВА IV

В четыре часа пополудни Бородин наконец добрался до дачного поселка. Он чувствовал слабость, шумело в ушах и мучила жажда. Слова доктора не прошли даром: он панически боялся опять потерять сознание. Теперь ему стало казаться, что сон его, где смуглый и голый старик ползет из воды на берег, а на берегу его поджидает смерть, был напрямую связан с этим обмороком, но это всего лишь начало. Когда он опять потеряет сознание, он больше уже не очнется.

«Надо что-то делать, — бормотал он, торопясь к лесу, потому что генеральская дача была последней у леса и стояла немного на отшибе. — Не хватает только, чтобы все это произошло на глазах у ребенка».

Потом он останавливался и полной грудью вбирал в себя сосновый солнечный воздух, к которому примешивался кисловатый холодок созревающих яблок и влажное частое, как у больного, дыхание астр.

«Ну вот. Я дышу, — говорил он себе. — А слабость, — так это все нервы. Пойду завтра к доктору».

Но в голове его внезапно вспыхивал огонь, и становилось страшно, что никакого «завтра» уже не будет.

«Елена поможет, она настоящая. И если уж мне суждено умереть, то пусть это будет спокойно и дома».

Он отворил калитку и увидел их на открытой террасе. Елена с матерью и Васенькой пили чай с вареньем и яблочной шарлоткой.

— Ну вот. Я приехал, — сказал Бородин. — Хотел, правда, утром, но не получилось.

Он увидел, как жена его приподнялась на стуле, и у нее было такое лицо, словно она сейчас закричит.

— Андрюша, ты болен? — спросила она.

От вновь охватившей его слабости Андрей Андреич опустился на нижнюю ступеньку террасы и, привалившись спиной к витому столбику, закрыл глаза. Спина стала мокрой от пота.

— Да, вроде бы болен, — сказал он сквозь зубы.

— Тебе нужно лечь, — прошептала она. — Зачем ты приехал?

В тошнотворной пелене появилась Васенька, которая выхватила откуда-то подушку, подбежала к нему и стала подсовывать эту подушку ему под спину. Бородин хотел было поцеловать ее, но не смог дотянуться губами до ее взволнованного личика.

— Васютка, — сказал он. — Дочурка моя...

— Пойдем, я тебе помогу, и ты ляжешь, — шепнула Елена, склонившись над ним.

Он уперся зрачками в низкий вырез ее летнего платья, увидел начало ее белоснежной, знакомой груди и привстал.

— Не бойся, сейчас все пройдет, — сказал он, борясь с дурнотой.

И тут очень громко заплакала Васенька. Ему нужно было обнять ее крепко, прижать к себе и успокоить. Он сделал усилие, встал и дотронулся рукой до пробора в ее волосах. Он чувствовал, что он стоит, он вдыхал ее детский запах, чудесный, молочный, насквозь разогретый полуденным солнцем, но тело его продолжало лежать на той же ступеньке и не шевелилось. Потом он увидел, что лес растворился и освободилось пустое пространство, в котором он был как-то странно прозрачен и мог подниматься все выше и выше. Идущий из воздуха, тонкий, как дождь, пронзительный звон его мучил. Он был то красным, то желтым, но именно звон и разъединял его с ними: с Еленой и плачущей Васенькой, с колкой травой и этой ступенькой, где кто-то лежал. Он знал, что лежащим был он, и его сейчас становилось все меньше и меньше. Потом появился дымок от костра. Потом все исчезло.

Он двинулся ощупью, но не вперед, не в сторону и не назад, — в никуда, — и тут его стали вращать в пустоте. Но и пустоты больше не было. Было *отсутствие всех и всего, навсегда*.

«Ведь я же умру так! Ведь так я умру!» — почувствовал он и вдруг понял, что умер.

Куда-то его уносило. Куда? Он сделал усилие и обернулся. Ступенька, на которой только что лежало его тело, была пуста, от дома отъезжала машина «Скорой помощи». Какие-то люди стояли, но он их почти не заметил.

Васенька бежала вслед за машиной и протягивала вперед руки. На левом мизинце был розовый пластырь.

— Мой папочка! Папочка мой! Подожди! Куда вы везете его? Где мой папочка?

Она напоролась на корень, упала, но руки свои продолжала тянуть, и крик ее стал еще громче:

— Мой папа! Пожалуйста, не умирай! Никогда! Останься со мной! Папа! Папочка, милый!

Бородин вдруг ясно и совсем близко увидел ее лицо. Внутри темноты только это лицо и было единственным маленьким светом.

— Ну не умирай! — задыхалась она. — Ну не уходи от меня! Папа, папочка!

ГЛАВА V

Прекрасная стояла погода в Швейцарии. И в горах было прекрасно, и на озерах, и в каждом до белого блеска промытом швейцарском ухоженном доме, где, если притронуться пальцем к салфетке, то эта салфетка так хрустнет, как будто вы ей наступили на самое горло.

«Зачем это все? — удивляюсь я тихо. — Ну вымоешь ты тротуар своей щеткой, а что в животе у тебя? Ах ты, бедный! Бактерии ведь и горючие газы! А в горле? А в этих... как их? В гениталиях? Кому рассказать, ни за что не поверят. Ты вот на себя посмотри беспристрастно, да и призадумайся. Что? Страшно стало? Ну ладно, скреби. Да скреби, говорю!»

И на конференции было прекрасно. Собрался народ. Были и пожилые, и толстые были, но были и тонкие. Красавиц я там не заметила. Правда, пришла в перерыве одна недурнушка, но видно, что очень привержена спорту: на каждой руке по огромному бицепсу.

Иван Ипполитович сидел в четвертом ряду с краю и слушал докладчиков. Раздражение его нарастало. Коллега из Франкфурта, который еще недавно восхищал профессора Аксакова своим абсолютно спокойным и бодрым отношением ко всему на свете, включая саму даже жизнь, а тем более смерть, и каждые семь-восемь лет вступал в новый брак, чтобы не заскучать, а прежние жены как будто бы таяли, подобно снегурочкам, и не мешали, — коллега из Франкфурта, большеголовый, прекрасно одетый, с клычочком во рту, которого добрый Иван Ипполитович до этого дня вовсе не замечал, читал свой доклад. Доклад назывался небро́ско: «Когда мы достигнем бессмертия и что нам мешает?»

«Мы отлично понимаем, что современная наука может создавать и уже создает искусственные органы человека. Вот печень и сердце нетрудно создать, все дело лишь в материалах. А мозг? А мозг посложнее, — и он усмехнулся, сверкая клычочком, — поскольку: что мозг? Мой мозг — это я. Сетчатка моего глаза — это последний экран, на котором отражаются предметы внешнего мира. Физически там отражаются. Далее это отражение рассыпается по миллиону волокон зрительного нерва и тут же разносится. Как и куда? По разным структурам огромного мозга. И что получается? Я создаю психический образ вселенной, людей, предметов, всего, что мы понимаем как физику мира. Ведь что предлагает природа? Она говорит нам: физический мир — есть мир твоей психики, воображенья... Вот я закрываю глаза, — он закрыл, — и вижу себя, например, не стоящим на этой трибуне, а, скажем, летящим. Кто мне помешает увидеть такое? — Клычочек опять очень ярко сверкнул. — Нет силы, которая мне помешает. Однако сейчас отвлечемся от мозга, вернемся к телам, грешным нашим телам». — И он широко улыбнулся при этом.

Иван Ипполитович неожиданно представил себе грешное тело немецкого ученого без всякой одежды и даже без галстука. Его передернуло. Тело профессора напомнило рыночный свежий творог, который еще не отжат и сочится слегка мутноватой белесою жидкостью.

«Действительно: мозг — это я, — подумал он с ужасом. — Черт знает что!»

«Тела наши, — продолжал ничего не подозревающий докладчик, — умирают, поскольку стареют. Ну что тут поделаешь? А мозг умирает совсем молодым, поскольку находится в теле. И он обречен вместе с телом уйти. Зачем? Мозг рассчитан надолго. Лет, скажем, на двести, а то и на триста. И мы можем этому мозгу помочь. Мы будем его пересаживать, чтобы он жил свои двести, а то и все триста. Все наше вниманье должно быть направлено, — и он облизнулся, как кошка, — на обеспечение тела, которое должно будет стать новым домом для мозга. Люди будут жить до своей нормальной старости, но не будут бояться смерти, поскольку их мозг, их бессмертное «я», уйдет в тело робота. И я обещаю, что ждать нам недолго. Коллеги мои в Гютерслоу, которые лет уже десять как держат мозг гиппопотама в простой чашке Петри, сейчас приступают к задаче созданья искусственной кисти. Пока обезьяньей, но это пока».

«Он наш, Ваня! Наш! Ты на зубик взгляни! — шепнул чей-то голос на ухо Аксакову. — Мне папа сказал: «Это братик двоюродный. Вы, Ванечка, с ним разминулись маленько». В том смысле, что он городской такой парень, а я-то промыкалась век свой в Дырявине, но кровь у нас, Ваня, одна, одно семя!»

Иван Ипполитович обежал глазами зал: на лицах сидящих блестело внимание. Никто не хотел умирать без того, чтобы не пристроить свой мозг пусть хоть в кружку и не обеспечить ему долголетия. Легонечко хлопнула дверь. Иван Ипполитович сразу заметил знакомый передник Валерии Курочкиной, которая нежно ему улыбнулась и даже слегка помахала ручонкой.

Была, значит, ведьма, была в этом зале, и скучно ей стало: двоюродный братец с его очень белым творожистым телом ей не приглянулся, капризной чертовке.

КНИГА СЕДЬМАЯ
И ПОСЛЕДНЯЯ

ГЛАВА I

В Анатолии, в одной из ее самых живописных деревень, готовились к свадьбе: женился Ислам наш на очень хорошей, и можно сказать, что завидной невесте.

Согласитесь, дорогие мои читатели: когда роман подходит к концу, нельзя же без свадьбы. Не нужно мне славы, не нужно богатства (вообще хорошо бы, конечно, но ладно: как есть, так и есть!), но чтобы меня укоряли в занудстве и в том, что в романе ни строчки веселой, а все одни страхи, да ахи, да вздохи, да море несчастной любви и к тому же по-русски я вовсе писать разучилась, — вот этого точно не переживу.

Теперь, мои судьи, в очечках и без, в коротеньких брючках и брючках подлиньше, вы губки свои подожмите, а глазки раскройте пошире: эх, будет вам свадьба!

Женился Ислам по любви. Вы скажете: «Что-то уж он очень скоро! Еще бы мог и поскучать, и поплакать!» А я говорю вам: «Не мог. Вот и все». Возьмите хотя бы Ромео с Джульеттой. Кто знает, что было бы, если бы семьи их не враждовали, как дикие волки? Насколько хватило бы этой их страсти? А вдруг бы Ромео влюбился в другую? А вдруг бы Джульетта, в вишневом берете на черных кудрях или в розовом жемчуге на тоненькой шее, поймала чужой восторженный взгляд на себе и вся вспыхнула?

Нет, я понимаю: обеты, венчанья, ресницы опущены, пальцы дрожат, — все это серьезно, все это навеки и все это для продолжения рода, но жизнь молода и крепка, будто яблоко, и столько в ней жара, и столько в ней силы, что ты ее хоть под асфальт закатай, она не уймется.

Вот так и с Исламом. Вернувшись в деревню нетрезвым и жалким, Ислам сразу лег на ковер и забылся. Во сне он увидел, как девушка Вера пришла и опять строит нежные глазки.

«Зачэм ты, — сказал он по-русски, — такая?» «Какая «такая»? — спросила она. — Я очень красивая, очень хорошая». «Нэт, ты нэ хорошая! — крикнул Ислам. — Тэпэрь уходи, нэ хочу тэбя видеть!»

И девушка Вера послушно исчезла. Проснулся Ислам весь в слезах. Было утро.

— Ислам, дорогой, набери хоть воды! — сказала ему постаревшая мать.

Он взял два ведра, коромысло, пошел. А может быть, без коромысла, не знаю. А может быть, в Турции нет коромысла. Короче, спустился к реке. И вдруг он увидел: по узкой тропинке, колеблясь, как стебель — кувшин на плече — вся в черном, и на голове покрывало, и только блистают глаза, только брови слегка изогнулись, как ласточки в небе, когда сильный свет бьет им прямо в зрачки, спускается женщина. К той же реке и в ту же секунду. Судьба ведь? Судьба.

Но тут Ислам вспомнил, что он мусульманин, и кровь его, древняя, гордая кровь, подпортить какую пыталась Европа, а вслед за Европой Москва и так далее, включая и спившегося дядю Мишу с его неразборчивою добротой, — тут кровь его вся загорелась, но взор свой он так опустил, что ресницы прилипли к его смуглой коже. В Коране ведь сказано: «Скажите верующим мужчинам, что они должны опускать взгляды и охранять свою скромность, которая принесет им большую чистоту и будет говорить верующим женщинам, чтобы и они опускали взгляды и охраняли свою скромность...»

Женщина наклонилась к воде, словно даже его не заметила, и зачерпнула прозрачной воды в свой кувшин, но как только три крупные капли скатились на берег, Ислам сквозь ресницы, прилипшие к коже, увидел и узкую ногу в чулке, и узкую руку, белее, чем жемчуг, но, главное, он уловил, как неровно дышала высокая грудь сквозь изгибы и плавные складки ее покрывала. Они не сказали друг другу ни слова. Какие слова, для чего и зачем? Ислам шел за нею до самого дома, забыл свои ведра и все позабыл, как будто бы жизнь до нее была сном, тяжелым и мутным, но вот он проснулся.

А свадьбу сыграли в конце октября. И я вам клянусь, что ни пылких объятий не знал он до свадьбы, не знал поцелуев, и только однажды ему посчастливилось пожать ее пальцы сквозь шелк покрывала.

В конце октября в Анатолии солнечно, но ночи бывают холодными. Даже и снег выпадает в горах, но не часто.

Всю ночь Фаридэ, молодая невеста, заснуть не могла. А утром, едва только солнце взошло, и вершина соседней горы стала яркой, как вишня, и уши осла жарко позолотило, а белый петух стал из белого алым, арба, на которой лежали ковры и всякие ткани, подушки и платья, со скрипом отправилась в путь. За арбою легко шла поджарая стройная лошадь, которая и увозила невесту на свадьбу ее, в дом Ислама Экинджи. Невеста была вся закутана плотно от кончиков ног до затылка: ведь люди посмотрят и сглазят, ищи их потом! Ах, как повезло молодому Исламу, что он, весь истерзанный, весь обрусевший, вернулся обратно в родную деревню! Ведь что бы он делал в Москве, ну скажите? Не знаете? Ну тогда я вам скажу. Сидел бы он где-нибудь в дымной пивнушке, хмельной и небритый, и бил бы о край стола или стула несчастную воблу, обсасывал горькие кости ее, а друг его, этот седой армянин, кричал бы гортанно: «Ищ-щ-щще нам пивька!» И к ним подходила бы злобная Клава, а может быть, Нина, а может быть, Туся, со стуком бы ставила новые кружки и грубым прокуренным басом своим ругала скатившегося дядю Мишу: «Паршивый кобель! Ведь споил паренька!»

Аллах уберег от такого позора. В последний четверг октября сильный, свежий, как гроздь винограда, румяный Ислам, одетый во все только новое, чистое, стоял у окна, поджидая невесту. А стол был накрыт во дворе и ломился. Зарезано было четыре барана, и были они освежеваны, были подвешены каждый на крепких крюках, и пламя лизало их кровь, и лизало крутые бока их, и сок вместе с кровью стекал торопливо в горячую землю. Вина было столько, что если бы даже пришел дядя Миша и с ним бы пришла Армения — вся, целиком, — то и Мише, и прочим пропойцам вина бы хватило на долгие годы, на десятилетья. Скрипела арба под коврами, спешила — и чутко дышали раздутые ноздри — поджарая белая лошадь со всадницей, которая даже, наверное, не знала, что есть на земле, например, «Павелецкая», а есть «Парк культуры» и есть Дом актера, зато она знала, что есть эти горы, и эта река с ледяною водой, в которой кувшин всегда запотевает и сразу становится чуть серебристым. Покачиваясь на горячем седле, она уже знала, что будет доить доверчивых коз, будет фаршировать козленка к приходу гостей и до смерти любить будет только Ислама Экинджи, рожать ему добрых и крепких детей.

Недалеко от дома жениха, перегородив дорогу и арбе, и белой лошади, лежал очень крупный кудрявый баран, живой, но умело и накрепко связанный. Фаридэ легко соскочила на руки старшего брата своего, сизые усы которого были такими длинными, что почти касались ушей, подошла к связанному барану, испуганно, очень по-женски вздохнувшему, схватила его за кудрявые ноги и, вся покраснев под своим покрывалом, швырнула с дороги в кусты на обочину. И брат загордился, и все остальные, столпившиеся, чтобы видеть, как эта, укутанная от недоброго взгляда, газель в белых туфельках так подняла тяжелую ношу и так отшвырнула, что поняли односельчане: не будет ни в чем недостатка в хозяйстве Ислама. Выполнив все, чего требует свадебная традиция, Фаридэ, только и блеснувшая глазами из-под покрывала, уселась обратно на белую лошадь, и тут отворились ворота. Ислам стоял у ворот и, намылив лицо, отчаянно брился сверкающим лезвием, таким первобытным, что если бы эту игрушку увидел знаток старины, то он бы, наверное, сразу полез в карман своих брюк за распухшим бумажником. Традиция требует, чтобы жених побрился у всех на виду перед свадьбой. (А то ведь бывает, что выдадут девушку за парня пятнадцати лет, у которого еще даже и борода не растет!)

Побривши лицо, наш Ислам отступил под тень многолетней зеленой чинары. А мать его, также родившая Балту, Айше, Хатану и Башрута с Алчобой, в расшитом и бисером, и серебром лиловом, как туча в горах, покрывале, в красивых ботинках, слегка припадая на правую ногу (попала в аварию: столкнулись на узкой тропе три арбы, и ногу расплющило!), вышла из дома. И встала, как памятник.

Тогда Фаридэ, молодая невеста, вся в белом, — и только сверкали глаза, — у всех на виду проползла между ног своей неподвижной, как камень, свекрови. Наполнены смыслом обычаи в Турции. Ведь не поползет же невеста из Раменок, с Тверской, с Малой Бронной и даже с Плющихи? А вот Фаридэ поползла. И другие, такие же, как Фаридэ, поползут. Поскольку велит им турецкий обычай: ползи, черноглазая, не сомневайся. Свекровь твоя только тогда и поверит в твое уважение к ней, и полюбит тебя, словно дочку родную, когда в присутствии всех любопытных гостей ты встанешь, покорная, на четвереньки и, словно в ущелье, нырнешь ей под юбку. А как проползла Фаридэ, надышалась старушечьей плотью, свекровь и надела на руку невестки тяжелый браслет. Лежал он с рожденья Ислама в шкатулке и ждал-дожидался, пока олененок, любимый сыночек ее, подрастет, и станет мужчиной, и выберет в жены достойную девушку, чтобы продолжить род гордых и трудолюбивых Экинджи. Но тут заиграла гайда и зурна, запели свирели, и грохнули бубны, и все повалили к столам, ибо голод не утихомирить ничем, кроме пищи.

Еды было много: и мяса, и зелени, и нежных сыров, и долмы, и мантов, давали барашка, давали козленка, и кур, начиненных душистою мятой, и пили вино с самогоном, разбавив его ключевою водой по обычаю. Ах, пела, плясала, плясала и пела веселая свадьба в горах Анатолии! А в сумерки статный отец Фаридэ и брат, чьи усы от вина стали мягче, ее подвели, со склоненной головкой и даже чуть сгорбившуюся от страха, к Исламу, уже тоже мраморно-бледному.

— Эфенди, — сказал ему брат. — Вот жена. Возьми ее и докажи свою силу.

Отец ничего не сказал, промолчал: душа его ныла от боли разлуки. Конечно же, дочка — не сын, но и к ней, бывает, привяжешься до удивленья. И тут же Алчоба, Башрут и Балта ударили крепко Ислама по ребрам, а друг его близкий, со школьной скамьи, по имени Абдурашид, кулаком ударил в живот. Это тоже обычай: когда ты идешь первый раз спать с женой, ты должен почувствовать боль, а иначе ты не испытаешь того наслажденья, какое тебе испытать полагается. Ушли молодые в отдельный *чердек* (сарай первой ночи), украшенный лентами, и там было им приготовлено ложе, и там взял Ислам черноглазую лань, которая только губу закусила, когда полилась ее яркая кровь.

ГЛАВА II

В Москве, между прочим, бывает прекрасный и теплый, как раннее лето, октябрь. В последний четверг октября Андрей Андреич Бородин должен был впервые выйти на работу. В теле его все еще ощущалась слабость, и спал он теперь очень много — по десять-двенадцать часов. Врачи объяснили, что это нормально. Сам Андрей Андреич ничего не говорил о своих переживаниях, а тем более страхах. Страхи приходили по ночам и иногда мучили его до самого утра. Он знал, что пережил клиническую смерть, которая продолжалась три-четыре минуты, и сердце его тогда остановилось. Но ангел его не дремал и под видом какого-то немолодого мужчины, который и шел тогда мимо их дачи, увидел его, сразу встал на колени, задрал на нем свитер и начал умело массировать сердце.

«Везет же, — сказал санитар «Скорой помощи». — Ведь счет-то был просто на доли секунды».

Сознание вернулось к Бородину в палате, и, открыв глаза, он поразился красоте белого цвета. Белым был халат врача, который щупал ему пульс, и облако в небе. Но странное чувство, что этого нет, что все ему кажется, даже и боль в спине и в груди, охватило его.

— Ну как? — спросил врач. — Опиши, что ты видишь.

— Красиво, — сказал Бородин. — Как в снегу.

Врач нахмурился и, отпустив его запястье, начал задавать вопросы. Бородин ответил, как его зовут, сколько ему лет, как зовут его жену и дочку, кем и где он работает.

— А кто президент? Не забыл?

— Не забыл.

И врач с облегченьем вздохнул. Пришли еще двое, пощупали пульс и задали те же вопросы. Потом медсестра, пожилая, с бровями как будто мохнатые пчелы, в очках, съезжающих на нос, поставила капельницу.

— А что ты про снег говорил? — вспомнил врач.

— Что облако было, как снег. Да. Как снег.

Когда они ушли, он принялся снова смотреть на облако. Оно незаметно приблизилось к солнцу, кусок оторвался и, весь изогнувшись, подобно бумаге, попавшей в огонь, стал тонким, прозрачным и огненно-красным. А все остальное вдруг быстро увяло, как вянет цветок. Смерть облака, за которым наблюдал Бородин, была не мучительной и не похожей на смерть человека, животного или на смерть насекомого. Оно торопилось уйти, но само, как будто радуясь и понимая, что больше его никогда не увидят.

«А я испугался, — сказал Бородин последней мигнувшей прозрачной полоске. — Мне страшно».

Он попытался вспомнить, что было, когда он потерял сознание и начал вращаться внутри пустоты. И вдруг весь покрылся испариной.

«Откуда я знаю, что я сейчас жив? — подумал он в страхе. — А может, я умер?»

Вошла медсестра и проверила капельницу. Бородин закрыл глаза и притворился спящим. Сердце стучало так сильно, что казалось: еще немного, и на этот стук должны будут сбежаться люди, как они сбегаются на пожар.

«А может быть, мне это все только кажется? Я где-то читал, что умершие люди как будто присутствуют здесь и не знают, что их уже нет».

— Войдите, вам можно, — сказала, повиснув над ним, медсестра.

Он чуть приоткрыл одно веко. Елена с лицом, перекошенным страхом, и Васенька робко стояли в дверях, держась крепко за руки. Ему показалось: они его не замечают.

«Я буду молчать, ничего не скажу. А то вдруг они не услышат меня? А так хоть надежда», — подумал он с ужасом.

Васенька вырвала руку из рук Елены и подошла к кровати.

— Мне кажется, мама, что он меня видит, — сказала она, — он немножечко смотрит.

— Нет, Вася, он спит, — прошептала Елена.

«Она соврала ей! Она испугалась, что Вася поймет, что меня больше нет!»

Васенька опустилась на корточки и, взяв в обе свои ладони его свободную от капельницы руку, поцеловала ее.

— Он умер? — спросила у матери Васенька.

«Ну вот. Сейчас она скажет, и я все узнаю. Скорее бы только!» — подумал он снова.

— Он спит, Вася, спит, — повторила Елена. — Ты что, мне не веришь?

Васенька уткнула лицо в его раскрытую руку и горько заплакала. Рука его стала вся мокрой. Он чувствовал то же, что чувствуют люди, входящие в воду, прогретую солнцем, когда, поддевая рукой эту воду, они ощущают, что кожа размякла и вся их рука стала словно бы частью не тела, а этой прогретой воды. Его охватило блаженство, которого он прежде и не представлял себе даже. Ребенок его плакал так безутешно, покорно, беззвучно, как будто стремился запас своих слез израсходовать разом, сегодня, сейчас — на него одного, — поскольку он был ей дороже всего, поскольку его одного и боялась она потерять и, не зная, что это еще не конец, что ему жить и жить, и что их обоих — ее и отца — ждет день, когда это и вправду случится, она горевала сейчас и, горюя, слезами его возращала обратно.

Он перешагнул через страх и сказал:

— Не плачь, моя доченька. Только не плачь.

И замер, не зная, *сказал* или нет.

Она подняла ярко-красное личико. Они посмотрели друг другу в глаза. Тогда он поверил, что жив.

ГЛАВА III

С этого дня прошло почти два месяца. Он вернулся домой, на Тверскую, радуясь, что рукопись романа, возвращенного ему обиженной и раздраженной редакторшей, куда-то пропала. Наверное, просто оставил на лавочке, когда ел мороженое. Все было неправдой в написанном им, хотя, может быть, вся эта неправда пришлась бы по вкусу таким же, как он, и с помощью этой расхожей неправды он мог бы и стать знаменитым.

Неправда была, прежде всего, в том, что, когда он писал роман, он вовсе не знал, что умрет. Он просто не помнил об этом. Он думал, что эта вот жизнь, когда Вера ложится ему на живот и смеется, а в небе чирикают птицы, и жадно, боясь, что его оборвут, торопливо и детски-обиженно плачет трамвай, — он думал, что это и есть *настоящее*, которое можно ногами топтать, зубами жевать и проглатывать горлом. А все остальное он *досочинил*, включая и смерть, и любовь, и разлуку. И вдруг оказалось, что он ошибался. Что самым действительным и *настоящим* была только смерть плюс любовь и разлука, и он проходил теперь это, как в школе проходят историю и географию.

Теперь он поверил, что есть пустота, какую нельзя описать языком, поскольку язык не годится на это. Узнал на самом себе, что значит смерть, и понял, что это нельзя сочинить, поскольку она есть реальность. Еще оставалась любовь, но любовь ему обнажила не Вера, а дочка, и, стало быть, все, что он знал о любви, он должен был пересмотреть и промучиться своей безнаказанностью и стыдом.

Днем он подчинялся обезболивающим действиям привычек и не чувствовал тяжести. Но ночью тот самый страх, который охватил его тогда, в реанимации, — страх, что он все-таки умер, и это душа его ищет пристанища, — опять возвращался и мучил его. Часов в пять утра этот страх исчезал. Елена, которая снова была с ним рядом и тихо дышала в подушку, не знала, что каждое утро — да, каждое, — внутри неокрепшего Бородина опять загорается пламя, не знала, что бес тащит мужа обратно, — туда, где эта худая, лохматая школьница ложится ему на живот и смеется, а он, продевая ладонь в ее волосы, все тело ее так сжимает ногами, что смех замирает на самой высокой, ликующей и неожиданной ноте.

Разломленная на две части, как яблоко, текла его ночь.

Елена молчала. Если не считать того, что их супружеские отношения прекратились и ни один из них не делал попытки восстановить эти отношения, все остальное было таким, каким оно было до прошлого декабря, пока Васенька не попала в больницу. Бородин повторял и повторял себе, что это был *морок*, из которого они вышли окровавленными и измученными, но живыми. Его не беспокоило, что каждый вечер, ложась в постель, они говорили друг другу «спокойной ночи» и тут же отворачивались друг от друга, засыпая под одним одеялом. Он не спрашивал у жены, устраивает ли ее *такая* жизнь, потому что привык к тому, что Елена гораздо сильнее его, и если она продолжает молчать и не вспоминает о прошедшем лете, и нет напряжения в их разговорах, и нет даже тени каких-то размолвок, то, значит, и *это* нормально. А там поглядим.

Что на самом деле происходило с Еленой, Бородин не знал. Да если бы даже и ангел-хранитель, который за нею следил неотступно, спросил бы ее:

— Что с тобою, Елена? — она и тогда бы смолчала.

Дорогие мои читатели! Я не сомневаюсь в том, что каждый из нас гораздо более скрытен, чем думают не только окружающие люди, но даже чем сами мы думаем. И молчим мы иногда совсем не оттого, что прячем правду от окружающих и даже не оттого, что прячем ее от самих себя, а лишь оттого, что она, эта правда, запрятана столь глубоко и надежно, что сил ограниченных наших не хватит извлечь из гнезда, чуть заметного глазом, того перепуганного, с колотящимся и очень горячим сердечком, птенца.

А вдруг он умрет на руках у нас, птенчик? И птицей свободной не станет, и в небо, к его золотым облакам, не прорвется?

Никто, наверное, не поверит, что Андрей Андреич Бородин вышел на работу в тот самый последний четверг октября, когда (я об этом уже рассказала!) плясала и пела веселая свадьба Ислама Экинджи в горах Анатолии. Ах, много на свете таких совпадений, и разных загадок, и всяких там шуточек: не зря ведь мы любим кино и театр.

В Москве было холодно, дождь моросил всю ночь, но к утру перестал. У Васеньки болело горло, и в школу ее не водили. Елена сварила ему крепкий кофе. Они не смотрели друг другу в глаза.

— Ну, я позвоню, — сказал он. — Врач придет?

— Да, вызовем, — тихо сказала Елена. — Наверное, лучше бы антибиотики.

— Зачем? Обойдется.

— Но ты же не врач.

— Ты тоже.

Елена слегка побледнела.

— Иди.

Он вышел на улицу. В школе оказалась только уборщица, которая мыла пол в вестибюле. Он испугался, что не вспомнит, как ее зовут, но вспомнил. Уборщицу звали Анной Аркадьевной, как Каренину.

— Приветствую, Анна Аркадьевна, — сказал Бородин.

— И вам утра доброго, — сказала она. — А здоровье-то как?

— Здоров я как бык.

— Да ладно, как бык! Вот скажете тоже!

Бородин заглянул в учительскую и выложил на свой стол пару книг из портфеля. Серая прибранность этой учительской ужаснула его. Он почувствовал себя в клетке. До первого урока оставалось почти сорок минут, и можно было выйти на улицу, подышать мокрым холодом осени. Но улица тоже была этой клеткой. И дождь, и прохожие. Даже карниз соседнего здания чемто напомнил о клетке, а может быть, и о тюрьме. Тогда он побежал наверх, на третий этаж, где свет в коридоре еще не горел, и он его сразу зажег.

Она сидела в классе на учительском месте и, когда Бородин вошел, сразу же поднялась и сделала такое движение, словно хочет убежать. Рванулась и остановилась. Горло у него пересохло. Она стала словно и ростом поменьше, и волосы были причесаны гладко. Она показалось намного моложе, чем летом, когда сильно красилась, стараясь быть взрослой. Она была в кофточке. Цвет этой кофточки он, кажется, не разглядел, цвета не было.

— Как ты себя чувствуешь? Ты ведь болел, — сказала она.

— Хорошо. Я болел, — ответил он ей, не слыша себя.

— Я думала, ты никогда не придешь, — она прошептала. — Ты так долго болел.

— Пожалуйста, лучше уйди, — сказал он.

— Уйти. А куда? — спросила она. — Я только могу умереть, вот и все.

Он сморщился.

— Сама ты не знаешь, о чем говоришь.

— Не буду.

— Мне с тобой хорошо, — сказал он, не слыша себя, и поправился: — Я, кажется, очень скучал без тебя.

— Я тоже скучала, — призналась она. — Я думала, ты меня бросил.

— Я просто вернулся домой. Вот и все. Там дочка.

— Я знаю, — сказала она. — Все нормально.

И встала, и близко к нему подошла. Дышать стало больно, как это бывает в горах на большой высоте.

— Я с тобой, — прошептал он, — теряю всю волю. Я так не могу.

— И я не могу, — сказала она.

Закрыла глаза и ресницами тихо коснулась его очень красной щеки.

— Какой ты горячий. Ты болен?

— Я болен. Тобой.

— Но ты и меня заразил. Ты заразный.

— Я, кажется, даже тебя не люблю, — сказал он. — Тогда что же это?

— Не знаю. Не знаю. Ведь ты у нас взрослый, женатый. Ведь ты же меня соблазнил. Это ты соблазнитель.

— А ты кто? — сказал он. — Тогда кто же ты?

Она отошла от него.

— Я не знаю. Но не говори «не люблю», хорошо?

— Не буду.

— Не надо. Пожалуйста!

Бородин чувствовал, что никакой клетки больше нет. Потому что клетка лучше и спокойнее
того, что наступило сейчас. То, что наступило
сейчас, не нуждалось ни в нем, ни в ней, оно не
нуждалось ни в чем, кроме того, чтобы ему не
мешали. Но представить себе, что этому можно
помешать, было так же странно, как представить
себе, что можно остановить молнию, если она
уже разорвала небо.

СОДЕРЖАНИЕ

Литературно-художественное издание

ВЫСОКИЙ СТИЛЬ
ПРОЗА И. МУРАВЬЁВОЙ

Муравьёва Ирина
СОБЛАЗНИТЕЛЬ

Ответственный редактор *О. Аминова*
Литературный редактор *В. Герасимова*
Младший редактор *О. Крылова*
Художественный редактор *А. Стариков*
Технический редактор *Г. Романова*
Компьютерная верстка *Е. Мельникова*
Корректор *В. Соловьева*

ООО «Издательство «Эксмо»
123308, Москва, ул. Зорге, д. 1. Тел. 8 (495) 411-68-86, 8 (495) 956-39-21.
Home page: **www.eksmo.ru**   E-mail: **info@eksmo.ru**

Өндіруші: «ЭКСМО» АКБ Баспасы, 123308, Мәскеу, Ресей, Зорге көшесі, 1 үй.
Тел. 8 (495) 411-68-86, 8 (495) 956-39-21
Home page: www.eksmo.ru   E-mail: info@eksmo.ru.
Тауар белгісі: «Эксмо»
Қазақстан Республикасында дистрибьютор және өнім бойынша
арыз-талаптарды қабылдаушының
өкілі «РДЦ-Алматы» ЖШС, Алматы қ., Домбровский көш., 3«а», литер Б, офис 1.
Тел.: 8 (727) 2 51 59 89,90,91,92, факс: 8 (727) 251 58 12 вн. 107; E-mail: RDC-Almaty@eksmo.kz
Өнімнің жарамдылық мерзімі шектелмеген.
Сертификация туралы ақпарат сайтта: www.eksmo.ru/certification

Сведения о подтверждении соответствия издания
согласно законодательству РФ о техническом регулировании
можно получить по адресу: http://eksmo.ru/certification/

Өндірген мемлекет: Ресей
Сертификация қарастырылмаған

Подписано в печать 17.02.2014. Формат 84x108 $^{1}/_{32}$.
Гарнитура «Таймс». Печать офсетная. Усл. печ. л. 15,12.
Тираж 4 000 экз. Заказ 1227

Отпечатано с готовых файлов заказчика
в ОАО «Первая Образцовая типография»,
филиал «УЛЬЯНОВСКИЙ ДОМ ПЕЧАТИ»
432980, г. Ульяновск, ул. Гончарова, 14

ISBN 978-5-699-70803-1

Изысканно. Увлекательно. Необыкновенно

Анна Берсенева
«Рената Флори»

Изменить свою жизнь… Выбраться из кокона однообразных дел и мыслей…
И найти целый мир!
Это история Ренаты Флори, удивительной женщины, которая поначалу, как
многие, считала себя обычной.

www.eksmo.ru
2011-14